Comunicação não violenta

CIP-BRASIL. CATALOGAÇÃO NA PUBLICAÇÃO
SINDICATO NACIONAL DOS EDITORES DE LIVROS, RJ

R724c
    Rosenberg, Marshall B.
        Comunicação não violenta : técnicas para aprimorar relacionamentos pessoais e profissionais / Marshall B. Rosenberg ; tradução Mário Vilela. - [5. ed.]. - São Paulo : Ágora, 2021.
        280 p.

        Tradução de: Nonviolent communication : a language of life
        Inclui bibliografia e índice
        ISBN 978-85-7183-264-0

        1. Comunicação interpessoal. 3. Relações humanas. I. Vilela, Mário. II. Título.

20-64129   CDD: 153.6
                                                                               CDU: 316.772,5

Meri Gleice Rodrigues de Souza - Bibliotecária CRB-7/6439

Compre em lugar de fotocopiar.
Cada real que você dá por um livro recompensa seus autores
e os convida a produzir mais sobre o tema;
incentiva seus editores a encomendar, traduzir e publicar
outras obras sobre o assunto;
e paga aos livreiros por estocar e levar até você livros
para a sua informação e o seu entretenimento.
Cada real que você dá pela fotocópia não autorizada
de um livro financia o crime
e ajuda a matar a produção intelectual de seu país.

Comunicação não violenta

TÉCNICAS PARA APRIMORAR
RELACIONAMENTOS
PESSOAIS E PROFISSIONAIS

Marshall B. Rosenberg

EDITORA
ÁGORA

Tradução do livro *Nonviolent Communication: A Language of Life*, 3ª edição, ISBN 13/10: 9781892005281 / 189200528X, de Marshall B. Rosenberg. Copyright © Outono 2015 PuddleDancer Press, publicado por PuddleDancer Press. Todos os direitos reservados. Usado sob licença. Para mais informações sobre a comunicação não violenta™, visite o Center for Nonviolent Communication na internet, em www.cnvc.org.

Translated from the book Nonviolent Communication: A Language of Life, 3rd *Edition, ISBN 13/10: 9781892005281 / 189200528X by Marshall B. Rosenberg. Copyright © Fall 2015 PuddleDancer Press, published by PuddleDancer Press. All rights reserved. Used with permission. For further information about Nonviolent Communication™ please visit the Center for Nonviolent Communication on the Web at: www.cnvc.org.*
Direitos desta tradução adquiridos por Summus Editorial

32ª reimpressão, 2025

Editora executiva: **Soraia Bini Cury**
Assistente editorial: **Michelle Campos**
Tradução: **Mário Vilela**
Revisão técnica: **Dominic Barter**
Capa: **Renata Buono**
Projeto gráfico: **Acqua Estúdio Gráfico**
Diagramação: **Equipe Summus Editorial**

Editora Ágora

Departamento editorial
Rua Itapicuru, 613 – 7º andar
05006-000 – São Paulo – SP
Fone: (11) 3872-3322
http://www.editoraagora.com.br
e-mail: agora@editoraagora.com.br

Atendimento ao consumidor
Summus Editorial
Fone: (11) 3865-9890

Vendas por atacado
Fone: (11) 3873-8638
e-mail: vendas@summus.com.br

Impresso no Brasil

Quando conheci Marshall Rosenberg, uma comunicação profunda se estabeleceu imediatamente entre nós, pois, além de termos em comum os ideais da paz, fomos influenciados pelos mesmos mestres. O presente livro é um *best-seller* internacional. Ele acompanha e reforça um novo método de solução pacífica de conflitos. Seu principal mérito é nos ensinar a nos colocarmos no lugar do outro, desenvolvendo a empatia, que é de grande ajuda até em casos mais difíceis de ruptura e má comunicação. Marshall Rosenberg e sua equipe introduziram o método de comunicação não violenta no Brasil há muitos anos, e esta obra encontrará um "solo" já fertilizado.

De todo o coração, desejo grande sucesso a esta imensa contribuição para o desenvolvimento de uma cultura de paz no Brasil e no mundo.

PIERRE WEIL
Psicólogo e autor de *O corpo fala*

O trabalho do dr. Marshall Rosenberg sobre a comunicação não violenta revela, inicialmente, a profundidade que a cultura de guerra adquiriu, tanto na nossa linguagem quanto nos relacionamentos. Por outro lado, sua habilidade pedagógica nos encoraja a entrar em contato com esse centro de humanidade, onde nos reconhecemos como aprendizes de novos modos de estar e de nos articular com os outros e com o mundo. Além de ser uma via de autoconhecimento, a comunicação não violenta é um instrumento eficiente e mais do que oportuno para capacitar aqueles que — comprometidos com a implementação de uma cultura da paz — visam se autoeducar para restabelecer a confiança mútua entre pessoas, instituições, povos e nações.

LIA DISKIN
Cofundadora da Associação Palas Athena

Marshall Rosenberg nos abastece dos mais eficientes recursos para cuidarmos da saúde e dos relacionamentos. A CNV conecta a alma das pessoas, promovendo sua regeneração. É o elemento que falta em tudo que fazemos.

DEEPAK CHOPRA
Médico, autor de *As sete leis espirituais do sucesso*

A comunicação não violenta pode mudar o mundo. Ainda mais importante, ela pode mudar sua vida. Não consigo recomendá-la tanto quanto ela merece.

JACK CANFIELD
Autor da série *Histórias para aquecer o coração*

O dr. Rosenberg pôs em primeiro plano a simplicidade da comunicação bem-sucedida. Sejam quais forem as questões, suas estratégias para a comunicação com outras pessoas preparam o leitor para ganhar sempre.

TONY ROBBINS
Autor de *Desperte seu gigante interior*

Comunicação não violenta, de Marshall Rosenberg, é um livro ótimo que ensina um modo compassivo de falar com as pessoas — mesmo que você ou elas estejam bravos.

JOE VITALE
Autor de *Limite zero*

Sumário

	Prefácio – Deepak Chopra	9
1	Entregar-se de coração	17
2	A comunicação que bloqueia a compaixão	33
3	Observar sem avaliar	45
4	Identificação e expressão de sentimentos	57
5	Responsabilizar-se pelos sentimentos	69
6	Pedir o que enriquece a vida	91
7	Receber com empatia	117
8	O poder da empatia	139
9	A ligação compassiva com nós mesmos	157
10	Expressar a raiva plenamente	171
11	Mediação e solução de conflitos	193
12	O uso da força para proteger	219
13	Conquistar a liberdade e aconselhar os outros	229
14	Fazer elogios na comunicação não violenta	243
	Epílogo	253
	Bibliografia	257
	Índice remissivo	263
	Agradecimentos	271
	Anexos	273
	Sobre a comunicação não violenta	275
	O Centro de Comunicação Não Violenta	277

Prefácio

Ninguém merece mais a nossa gratidão do que o falecido Marshall Rosenberg, que viveu a vida exatamente como declara o título de um de seus livros: *Speak peace in a world of conflict* [*Falar de paz num mundo de conflito*]. Ele estava bem ciente da máxima (ou advertência) presente no subtítulo desse livro: "O que você disser a seguir mudará o seu mundo". A realidade pessoal sempre tem uma história, e a história que vivemos, iniciada na infância, assenta-se na linguagem. Esse se tornou o cerne da abordagem de Marshall para solucionar conflitos, levando as pessoas a trocar palavras de uma maneira que omite julgamentos, culpa e violência.

Nas ruas, os manifestantes de rosto contorcido, que compõem imagens tão perturbadoras nos noticiários, são mais do que isso. Cada rosto, cada grito, cada gesto encerra uma história. Todos se apegam à sua história com uma vingança, porque esta ancora sua identidade. Então, quando defendia uma conversa pacífica, Marshall ao mesmo tempo advogava uma nova identidade. Ele apreendeu esse fato por completo. Como ele próprio afirma a respeito da comunicação não violenta e do papel do mediador nesta nova edição, "tentamos viver um sistema de valores diferente e ao mesmo tempo almejamos mudar a situação". Em sua visão de um novo sistema de valores, os conflitos são resolvidos sem as transigências frustrantes de sempre. Em vez disso, os lados contrários aproximam-se com respeito, questionam-se sobre as necessidades mútuas e, em um clima sem paixão nem preconceito, chegam a um denominador comum.

| MARSHALL B. ROSENBERG |

Ao olhar para um mundo cheio de guerras e violência, onde o pensamento "nós contra eles" é a norma e os países podem romper com todos os laços de existência civilizada para cometer atrocidades inadmissíveis, um novo sistema de valores parece estar distante. Na Europa, em conferência para mediadores, um cético chamou pejorativamente de psicoterapia a abordagem de Marshall. Em linguagem clara, será que Marshall não estaria propondo que simplesmente esquecêssemos o passado e fôssemos apenas amigos, uma possibilidade remota não só nos lugares devastados pela guerra como em qualquer divórcio litigioso?

Os sistemas de valores vêm na bagagem de qualquer visão de mundo. Não só são inevitáveis como provocam orgulho nas pessoas — em todo o mundo existe uma longa tradição de valorizar os guerreiros e ao mesmo tempo temê-los. Os junguianos dizem que o arquétipo de Marte, o volátil deus da guerra, está incrustado no inconsciente de todos, tornando inevitáveis o conflito e a agressividade, numa espécie de vício inerente.

Porém, existe uma visão alternativa da natureza humana, expressa com eloquência neste livro, a qual se deve levar em conta por ser nossa única esperança real. Dessa perspectiva, não somos nossas histórias — ficções criadas por nós que permanecem incólumes em razão do hábito, da coerção grupal, do velho condicionamento e da falta de autoconsciência. Até as melhores histórias abraçam a violência. Se usar da força para proteger sua família, defender-se de ataques, lutar contra a maldade, evitar crimes e se engajar na chamada "guerra boa", você terá sido cooptado pelo canto da sereia da violência. Se quiser livrar-se disso, será bem provável que a sociedade se volte contra você e lhe dê o devido troco. Em suma, não é fácil encontrar uma saída.

Na Índia, existe um antigo modo de vida não violento chamado *ahimsa*[1], fundamental para uma vida sem violência. Cos-

---

[1] N. da t.: *ahimsa* é a transliteração para algumas línguas ocidentais da negação da palavra sânscrita *hims* (injúria). Pronuncia-se *arrim-sá*.

tuma-se definir *ahimsa* como não violência, muito embora seu significado esteja presente tanto nos protestos pacíficos do Mahatma Gandhi quanto na reverência de Albert Schweitzer à vida. "Não faça o mal" seria o primeiro axioma do *ahimsa*. O que mais me impressionou em Marshall Rosenberg, que morreu aos 80 anos — apenas seis semanas antes de eu escrever este texto —, é que ele compreendeu os dois estados do *ahimsa*, ação e consciência.

As ações são bem descritas nas páginas a seguir como princípios da comunicação não violenta, de modo que não as repetirei aqui. Estar consciente do *ahimsa* é muito mais intenso, e Marshall tinha esse atributo. Em todos os conflitos, ele não escolheu lados nem, sobretudo, deu atenção às histórias deles. Por reconhecer que todas as histórias implicam conflitos, clara ou veladamente, ele atribuiu às conexões o papel de pontes psicológicas. Isso se coaduna com outro axioma do *ahimsa*: o que conta não é o que se faz, mas sim a particularidade da atenção. No âmbito jurídico, o divórcio se encerra quando as duas partes firmam a divisão de bens. Porém, isso está longe de constituir o resultado emocional obtido pelas partes divorciadas. Para usar as palavras de Marshall, tanta coisa foi dita que o mundo delas mudou.

A agressão está incorporada ao sistema do ego, que se concentra totalmente em "eu, mim e meu" sempre que surja um conflito. A sociedade condescende com os santos e com o voto de servir a Deus em vez de a si mesma, mas existe um fosso enorme entre os valores que defendemos e o modo como realmente vivemos. O *ahimsa* fecha esse fosso apenas pela expansão da consciência das pessoas. A única maneira de acabar com toda violência é abrir mão da história pessoal. Ninguém que ainda tenha um interesse pessoal no mundo pode se tornar esclarecido — esse poderia ser o terceiro axioma do *ahimsa*. Contudo, esse ensinamento parece ser tão radical quanto Jesus no "Sermão da montanha", ao prometer que os humildes herdarão a terra.

Em ambos os casos, o importante não é mudar os atos, mas mudar a consciência. Para tanto, deve-se percorrer um caminho de A a B, no qual A é uma vida embasada nas exigências ininterruptas do ego e B é uma consciência imparcial. Para ser franco, ninguém deseja mesmo ter uma consciência imparcial — quando o negócio é estar acima de tudo, essa ideia soa ao mesmo tempo assustadora e impraticável. Qual é a vantagem de destituir o ego, que só tenta obter vantagens? Depois de o seu ego sumir, você seria passivo como um saquinho de areia espiritual?

A resposta está nas ocasiões em que o eu desaparece natural e espontaneamente, as quais ocorrem em momentos de meditação ou apenas contentamento profundo. Consciência imparcial é o estado em que estamos quando a natureza, a arte ou a música criam uma sensação de arrebatamento. A única diferença entre esses momentos — a que podemos acrescentar todas as experiências de criatividade, amor e diversão — e o *ahimsa* é que aqueles vêm e vão e o *ahimsa* é um estado permanente. Isso mostra que as histórias e os egos que as alimentam são ilusões, modelos criados para a sobrevivência e o egoísmo. A vantagem do *ahimsa* não é que você aprimore a ilusão, que é o que o ego sempre se esforça em fazer com mais dinheiro, posses e poder. A vantagem é que você consegue ser quem realmente é.

Consciência superior é um termo muito arrogante para o *ahimsa*. Consciência normal dá mais precisão ao conceito, num mundo onde a norma é tão anormal que chega a ser psicopatologia. Não é normal viver num mundo onde milhares de ogivas nucleares estão apontadas para o inimigo e o terrorismo é um ato religioso aceitável — eles são tão só a norma.

Para mim, o legado do trabalho de vida inteira de Marshall não está no modo como ele revolucionou o papel do mediador, por mais valioso que fosse. Está no novo sistema de valores que ele viveu — aliás, bastante antigo. O *ahimsa* tem de ser revivido em todas as gerações, uma vez que a natureza humana se divide entre paz e violência. Marshall Rosenberg deu provas de que ingressar nesse estado de consciência ampliada é real e, no momento de resolver disputas, muito prático. Ele nos deixa um exemplo que temos condições de seguir. Se formos dotados de amor-próprio verdadeiro no coração, nós o seguiremos. É a única alternativa em um mundo que busca desesperadamente a sabedoria e o fim dos conflitos.

DEEPAK CHOPRA
Fundador do Centro de Bem-Estar Chopra e autor de mais de 80 livros, traduzidos para cerca de 45 línguas, entre os quais 22 na lista dos mais vendidos do jornal *The New York Times*.

Palavras são janelas [ou muros]

Tuas palavras me condenam,
Me julgam e me afastam tanto.
Antes de partir preciso ouvir:
Disseste aquilo no entanto?

Antes que me defenda altiva,
Antes que fale por mágoa ou medo,
Antes que erga um muro de palavras,
Diga, será que ouvi isso mesmo?

Palavras são janelas ou são muros,
Nos condenam ou alforriam.
Quando eu falar ou quando escutar,
Que a luz do amor de mim irradie.

Preciso dizer certas coisas
Que tanto importam para mim.
Se por acaso eu não for clara
Ajudarás a me libertar enfim?

Se eu pareci criticar-te,
Se achaste que não nos damos,
Tente ouvir em minhas palavras
Sentimentos que partilhamos.

RUTH BEBERMEYER

1 Entregar-se de coração

A ESSÊNCIA DA COMUNICAÇÃO NÃO VIOLENTA

> *O que eu quero na vida é compaixão,*
> *um fluxo entre mim e os outros, numa*
> *entrega mútua, do fundo do coração.*
>
> MARSHALL B. ROSENBERG

INTRODUÇÃO

Por acreditar que é de nossa natureza gostar de dar e receber com compaixão, tenho me preocupado durante a maior parte da vida com duas questões: o que nos desliga dessa natureza solidária, levando-nos a um comportamento violento e à exploração dos outros? Por outro lado, o que permite que alguns continuem ligados à sua compaixão mesmo em circunstâncias o mais adversas possível?

Minha preocupação com essas questões começou na infância, por volta do verão de 1943, quando minha família se mudou para Detroit. Na segunda semana depois de chegarmos, eclodiu um conflito racial iniciado com um incidente num parque público. Nos dias seguintes, mais de 40 pessoas foram mortas. Nosso bairro ficava no centro da violência, e passamos três dias trancados em casa.

Quando terminaram os tumultos raciais e começaram as aulas, descobri que o nome pode ser tão perigoso quanto qualquer cor de pele. Assim que o professor disse meu nome durante a chamada, dois meninos me encararam e dispararam: "Você é *kike*?" Eu nunca tinha ouvido essa palavra e não sabia que algumas pessoas a usavam depreciativamente para se referir aos judeus. Depois da aula, os dois já estavam me esperando: eles me jogaram no chão, me chutaram e me bateram.

Desde aquele verão de 1943 tenho examinado as duas questões que mencionei. O que nos permite, por exemplo, estar sintonizados com nossa natureza compassiva até nas piores circunstâncias?

Penso em pessoas como Etty Hillesum, que continuou compassiva mesmo sujeita às grotescas condições de um campo de concentração alemão. Na época, ela escreveu:

> *Não é fácil me amedrontar. Não porque eu seja corajosa, mas por saber que lido com seres humanos e preciso tentar ao máximo compreender tudo que qualquer um possa fazer. E foi isso que realmente importou hoje de manhã — não que um jovem funcionário da Gestapo, contrariado, tenha gritado comigo, mas sim que não me senti indignada; ao contrário, senti verdadeira compaixão e vontade de lhe perguntar: "O senhor teve uma infância muito infeliz? Brigou com a namorada?" É, ele me pareceu atormentado e obcecado, mal-humorado e fraco. Eu queria ter começado a tratá-lo ali mesmo, pois sei que jovens dignos de pena como ele se tornam perigosos tão logo se vejam soltos no mundo.*
>
> ETTY HILLESUM, *A diary*

Enquanto estudava os fatores que afetam a capacidade de manter a compaixão, fiquei impressionado com o papel crucial da linguagem e do uso das palavras. Desde então, identifiquei uma abordagem específica da comunicação — falar e ouvir —

que nos leva a nos entregar de coração, ligando-nos a nós mesmos e aos outros de modo que a compaixão brote naturalmente. Denomino essa abordagem comunicação não violenta, usando o termo "não violência" como Gandhi o empregava — em referência ao estado natural de compaixão quando a violência mingua no coração. Embora possamos não considerar "violenta" a maneira de falarmos, as palavras não raro provocam mágoa e dor, seja nos outros, seja em nós próprios. Em algumas comunidades, o processo que descrevo aqui é chamado comunicação compassiva — em todo este livro uso a abreviatura CNV para me referir à comunicação não violenta.

CNV: *uma forma de comunicação que nos faz entregar-nos de coração.*

UM MODO DE CONCENTRAR A ATENÇÃO

A CNV baseia-se em habilidades de linguagem e comunicação que fortalecem nossa capacidade de manter a humanidade, mesmo em condições adversas. Ela não tem nada de novo: tudo que compõe a CNV já era conhecido havia séculos. O objetivo é lembrar o que já sabemos — como nós, humanos, deveríamos relacionar-nos — e nos levar a viver de modo que esse conhecimento se manifeste concretamente.

A CNV nos orienta para reformular a maneira de nos expressarmos e ouvirmos os outros. As palavras, em vez de reações repetitivas e automáticas, tornam-se respostas conscientes, firmemente fundadas na consciência do que percebemos, sentimos e desejamos. Somos levados a expressar-nos com sinceridade e clareza, ao mesmo tempo que damos aos outros uma atenção respeitosa e empática. Em toda conversa, acabamos captando nossas necessidades mais profundas e as dos outros. A CNV ensina a observar com cuidado e sermos capazes de identificar os comportamentos e as situações que nos afetam. Aprendemos a identificar e expressar claramente o que de fato desejamos em qualquer situação. A forma é simples, mas profundamente transformadora.

À medida que a CNV substitui nossos velhos padrões de defesa, recuo ou ataque diante de julgamentos e críticas, percebemos de uma perspectiva nova a nós e aos outros, assim como nossas intenções e relacionamentos. A resistência, a postura defensiva e as reações violentas se reduzem ao mínimo. Quando nos concentramos em esclarecer o que o outro observa, sente e necessita, em vez de analisá-lo e julgá-lo, descobrimos a profundidade da compaixão. Pela ênfase na escuta profunda — de nós e dos outros —, a CNV promove respeito, atenção e empatia e gera o desejo mútuo de nos entregarmos de coração.

Percebemos os relacionamentos de uma perspectiva nova ao usarmos a CNV para captar as necessidades mais profundas nossas e dos outros.

Embora eu me refira à CNV como "processo de comunicação" ou "linguagem da compaixão", ela é mais que processo ou linguagem. Num nível mais profundo, é um lembrete permanente para concentrar a atenção onde teremos maior probabilidade de achar o que procuramos.

Conta uma história que um homem estava agachado sob a luz de um poste, à procura de algo. Um policial passa e lhe pergunta o que está fazendo. "Procurando as chaves do meu carro", responde o homem, que parece ligeiramente bêbado. "Você as perdeu aqui?", pergunta o policial. "Não, perdi no beco." Vendo a expressão intrigada do policial, o homem se apressa em explicar: "É que a luz está muito melhor aqui".

Acho que meu condicionamento cultural me leva a concentrar a atenção em pontos que provavelmente não me levarão ao que quero. Desenvolvi a CNV como uma maneira de fazer brilhar a

Façamos brilhar a luz da consciência nos pontos em que podemos encontrar o que procuramos.

luz da consciência — de condicionar minha atenção a focar os pontos que me possam dar o que procuro. O que eu quero na vida é compaixão, um fluxo entre mim e os outros fundado numa entrega mútua de coração.

Essa característica da compaixão, que denomino "entregar-se de coração", está expressa na letra desta canção composta por minha amiga Ruth Bebermeyer:

> *Nunca me sinto mais entregue*
> *do que quando recebes algo de mim —*
> *quando compreendes a alegria*
> *que sinto ao te dar algo.*
> *E sabes que minha entrega*
> *não é para que me devas,*
> *mas por querer viver*
> *o amor que sinto por ti.*
> *Receber de boa vontade*
> *pode ser a maior entrega.*
> *Eu nunca conseguiria separar as duas coisas.*
> *Quando te entregas a mim,*
> *Eu te entrego meu recebimento.*
> *Quando recebes de mim, eu me sinto muito entregue.*
>
> "Given to" (Entregue), do disco
> *Given to* (1978), de Ruth Bebermeyer

Nossa entrega de coração deve-se à alegria que brota sempre que enriquecemos voluntariamente a vida de outra pessoa. Esse tipo de entrega beneficia tanto quem se entrega quanto quem recebe. Este usufrui a dádiva sem se preocupar com as consequências do que se deu por medo, culpa, vergonha ou desejo de lucrar. Quem se entrega beneficia-se do reforço da autoestima advinda de sua contribuição para o bem-estar de alguém.

Para usarmos a CNV, as pessoas com quem nos comunicamos não precisam ser versadas nela nem estar motivadas a relacionar-

-se conosco com compaixão. Se nos ativermos aos princípios da CNV, se nos motivarmos somente a dar e receber com compaixão e se fizermos tudo que pudermos para que os outros saibam que essa é nossa única motivação, eles se juntarão a nós e acabaremos relacionando-nos com compaixão. Não digo que isso sempre aconteça rapidamente. Afirmo, entretanto, que a compaixão inevitavelmente floresce quando nos mantemos fiéis aos princípios e ao processo da CNV.

O MODELO DA CNV

Para atingir o desejo mútuo de nos entregarmos de coração, concentramos a luz da consciência em quatro áreas, às quais nos referiremos como os quatro componentes do modelo da CNV.

Primeiramente, observamos o que está acontecendo de fato em dada situação: o que presenciamos os outros dizerem ou fazerem que enriquece ou não nossa vida? O truque é ser capaz de expressar essa observação sem julgar nem avaliar, mas simplesmente dizer o que agrada a nós ou não naquilo que as pessoas fazem. Em seguida, identificamos como nos sentimos ao observar aquela ação: magoados, assustados, alegres, irritados etc. Em terceiro lugar, reconhecemos quais de nossas necessidades estão ligadas aos sentimentos que identificamos. Temos consciência desses três componentes quando usamos a CNV para expressar clara e sinceramente como estamos.

Os quatro componentes do modelo da CNV:
1. observação
2. sentimentos
3. necessidades
4. pedidos

Uma mãe poderia expressar essas três coisas ao filho adolescente, dizendo, por exemplo: "Roberto, fico irritada de ver duas bolas de meias sujas debaixo da mesinha e mais três perto da TV, porque preciso de mais ordem no espaço que usamos".

Ela imediatamente prosseguiria com o quarto componente — um pedido bem específico: "Você poderia colocar suas meias no seu quarto ou na lavadora?" Esse componente enfoca o que queremos da outra pessoa para enriquecer nossa vida ou torná-la maravilhosa.

Assim, parte da CNV consiste em expressar as quatro informações muito claramente, de forma verbal ou por outros meios. O outro aspecto dessa forma de comunicação consiste em receber aquelas mesmas quatro informações dos outros. Nós nos ligamos a eles primeiramente ao perceber o que observam e sentem e de que precisam; depois, descobrindo o que poderia enriquecer sua vida ao receber a quarta informação, o pedido.

Desde que mantenhamos a atenção concentrada nessas áreas e ajudemos os outros a fazer o mesmo, estabeleceremos um fluxo de comunicação dos dois lados, até a compaixão se manifestar naturalmente: o que estou observando, sentindo e do que estou necessitando; o que estou pedindo para enriquecer minha vida; o que você está observando, sentindo e do que está necessitando; o que você está pedindo para enriquecer sua vida...

CNV em processo

- As ações concretas que *observamos* e afetam nosso bem-estar.
- Como nos *sentimos* em relação ao que observamos.
- As necessidades, os valores, os desejos etc. que geram nossos sentimentos.
- As ações concretas que *pedimos* para nos enriquecer a vida.

Ao utilizar esse processo, podemos começar expressando-nos ou recebendo dos outros, com empatia, essas quatro informações. Ainda que saibamos que aprenderemos a perceber e expressar verbalmente cada um desses componentes do Capítulo 3 ao 6, é importante estar ciente de que a CNV não consiste numa fórmula fixa, mas em algo que se adapta a situações variadas e também práticas pessoais e culturais. Embora eu, por conveniência, refira-me à CNV como "processo" ou "linguagem", todas as suas quatro partes podem ser cumpridas sem que se diga uma só palavra. A essência da CNV está na consciência dos quatro componentes, não nas palavras que são trocadas.

As duas partes da CNV:
1. *Expressar-se com sinceridade por meio dos quatro componentes.*
2. *Receber com empatia por meio dos quatro componentes.*

APLICAÇÃO DA CNV NA PRÓPRIA VIDA E NO MUNDO

Quando utilizamos a CNV em nossas interações — consigo mesmo, com outra pessoa ou com um grupo —, nós nos colocamos no estado natural de compaixão. Trata-se, portanto, de uma abordagem que se aplica de maneira eficaz a todos os níveis de comunicação e a diversas situações:
- Relacionamentos íntimos.
- Famílias.
- Escolas.
- Organizações e instituições.
- Terapia e aconselhamento.
- Negociações diplomáticas e comerciais.
- Disputas e conflitos de qualquer natureza.

Algumas pessoas usam a CNV para criar maior profundidade e afeto em seus relacionamentos íntimos. Eis o depoimento de uma participante de um de nossos seminários, em San Diego:

> *Quando aprendi a receber (escutar) e dar (expressar) por meio da CNV, superei a fase em que me sentia agredida e aviltada e passei a escutar realmente as palavras e captar nelas os sentimentos subjacentes. Eu me dei conta do homem sofrido com quem tinha estado casada por 28 anos. Ele havia pedido*

o divórcio uma semana antes da oficina [sobre a CNV]. Para encurtar uma história bem comprida, estamos aqui hoje, juntos, e estou ciente da contribuição que [a CNV] deu para termos um final feliz. [...] Aprendi a perceber sentimentos, expressar minhas necessidades, aceitar respostas que nem sempre queria ouvir. Ele não está aqui só para me agradar, nem eu estou aqui para lhe dar felicidade. Ambos aprendemos a crescer, aceitar e amar de modo que possamos nos realizar.

Outros usam a CNV para estabelecer relacionamentos mais eficazes no trabalho. Uma professora de Chicago escreve:

Há cerca de um ano utilizo a CNV com minha turma de educação especial. Ela pode funcionar até mesmo com crianças que têm atraso na linguagem, dificuldades de aprendizagem e problemas de comportamento. Um aluno de nossa sala cospe, diz palavrões, grita e espeta os colegas com lápis quando se aproximam de sua carteira. Eu lhe dou a deixa: "Por favor, diga isso de outro jeito. Use sua conversa de girafa". [Em alguns seminários, para demonstrar a CNV, usam-se fantoches de girafa.] Na mesma hora, ele se levanta, olha para a pessoa de quem está com raiva e diz com toda a calma: "Por favor, você poderia sair de perto da minha carteira? Eu fico com raiva quando você fica tão perto de mim". Os outros alunos em geral respondem com algo como: "Me desculpe, eu tinha esquecido que isso deixa você chateado".

Comecei a pensar em minha frustração com essa criança e tentei descobrir de que eu precisava dele, além de harmonia e ordem. Percebi quanto tempo eu havia dedicado ao planejamento das aulas e como minha necessidade de ser criativa e contribuir era atropelada a fim de que eu cuidasse do comportamento [da classe].

Além disso, senti que eu não atendia às necessidades educacionais dos outros alunos. Quando ele fazia sua cena na aula, passei a dizer: "Preciso que você preste atenção em mim". Talvez eu tivesse de dizer isso cem vezes por dia, mas ele enfim captava a mensagem e geralmente se concentrava na aula.

Uma médica de Paris escreveu:

Cada vez mais uso a CNV na prática clínica. Alguns pacientes perguntam se sou psicóloga, dando a justificativa de que seus médicos não costumam se interessar pelo modo como eles levam a vida ou lidam com suas doenças. A CNV me ajuda a compreender quais são as necessidades dos pacientes e o que eles precisam ouvir em determinado momento. Acho que isso ajuda sobretudo no relacionamento com hemofílicos e portadores do HIV, pois ocorre tanta raiva e sofrimento que é comum a relação entre o paciente e o profissional de saúde ser seriamente abalada.

Faz pouco tempo, uma pessoa com HIV que tenho tratado há cinco anos me disse que o que mais a tinha ajudado foram minhas tentativas de achar maneiras para ela desfrutar o dia a dia. Nesse aspecto, a CNV me auxilia muito. Antes, quando sabia que um paciente tinha uma doença fatal, frequentemente eu me apegava ao prognóstico dele e, assim, era difícil encorajá-lo sinceramente a levar a vida. Com a CNV, desenvolvi uma nova consciência, bem como uma nova linguagem. Fico assombrada de ver quanto ela se presta à minha prática médica. Sinto mais energia e alegria no trabalho à medida que me envolvo cada vez mais na dança da CNV.

Outros, por sua vez, empregam esse processo na política. Uma ministra francesa, ao visitar a irmã, notou que esta e o marido se comunicavam e respondiam um ao outro de maneira diferente. Encorajada pela descrição que fizeram da CNV, mencionou que, na semana seguinte, negociaria com a Argélia algumas questões delicadas, referentes a procedimentos de adoção. Embora o tempo fosse curto, despachamos para Paris um instrutor que falava francês, a fim de trabalhar com a ministra. Posteriormente, ela atribuiu grande parte do sucesso de suas negociações com a Argélia às novas técnicas de comunicação que adquirira.

Em Jerusalém, durante um seminário ao qual compareceram israelenses de diversas convicções políticas, os participantes usaram a CNV para se expressar a respeito da questão extremamente polêmica da Cisjordânia. Muitos dos colonos israelenses que ali se estabeleceram acreditam que cumprem uma determinação religiosa ao fazê-lo e estão enredados num conflito não apenas com os palestinos, mas também com israelenses que reconhecem a esperança palestina de conquistar soberania nacional na região.

Numa sessão, um de meus instrutores e eu criamos um modelo de escuta com empatia usando a CNV. Em seguida, convidamos os participantes a alternar-se nos papéis dos outros. Passados 20 minutos, uma colona declarou que, caso seus opositores políticos se mostrassem capazes de ouvi-la do mesmo modo que acabara de ser ouvida, ela se disporia a considerar abrir mão de suas reivindicações fundiárias e sair da Cisjordânia para um lugar em território internacionalmente reconhecido como israelense.

Hoje, em todo o mundo, a CNV constitui recurso valioso para comunidades que enfrentam conflitos violentos ou graves tensões de natureza étnica, religiosa ou política. A disseminação do treinamento em CNV e seu uso em mediações por pessoas em conflito em Israel, no território da Autoridade Palestina, na Nigéria, em Ruanda, em Serra Leoa e em outros lugares têm sido motivo de especial satisfação para mim. Certa vez, meus associados e eu estivemos em Belgrado durante três dias muitíssimo tensos, treinando cidadãos que trabalhavam pela paz. Logo ao chegarmos, vimos estampada no rosto dos participantes uma expressão de visível desespero, pois o país estava então envolvido numa guerra brutal na Bósnia e na Croácia. À medida que o treinamento avançou, começamos a ouvir um tom de riso nas vozes, ao expressarem sua profunda gratidão e alegria por terem encontrado o recurso de que precisavam. Nas duas semanas seguintes, trabalhando na Croácia, em Israel e na Palestina, tornamos a ver cidadãos desesperados de países arrasados pela guerra recuperarem o ânimo e a confiança a partir do treinamento em CNV que recebiam.

Sinto-me afortunado por poder viajar pelo mundo ensinando às pessoas um processo de comunicação que lhes dá poder e alegria. Agora, com este livro, estou feliz e empolgado por poder compartilhar com você a riqueza da comunicação não violenta.

RESUMO

A CNV ajuda a nos ligarmos aos outros e a nós mesmos, permitindo o florescimento da compaixão natural. Ela nos guia na reformulação do nosso modo de expressão e escuta dos outros, pela concentração em quatro áreas: o que observamos, o que sentimos, o que necessitamos e o que pedimos para nos enriquecer a vida. A CNV promove uma escuta, um respeito e uma empatia profundos e provoca o desejo mútuo da entrega de coração. Algumas pessoas usam a CNV para reagir compassivamente a si mesmas; outras, para estabelecer maior profundidade em suas relações pessoais, e outras, ainda, para gerar relacionamentos eficazes no trabalho ou na política. No mundo inteiro, utiliza-se a CNV para mediar disputas e conflitos em todos os níveis.

 ## CNV EM AÇÃO

Diálogos intitulados "CNV em ação" aparecem ao longo deste livro. Servem para dar o gostinho de uma conversa real em que um dos interlocutores aplica os princípios da comunicação não violenta. Entretanto, a CNV não é apenas uma linguagem nem um conjunto de técnicas para usar as palavras; a consciência e a intenção que a CNV abrange podem muito bem expressar-se pelo silêncio (característica do estar presente), pela expressão facial e pela linguagem corporal. Os diálogos de "CNV em ação" que você lerá são versões necessariamente resumidas de conversas reais, em que momentos de empatia silenciosa, narrativas, humor, gestos etc. contribuiriam para que se estabelecesse entre as duas partes uma conexão mais natural do que pode parecer quando se condensam os diálogos na forma impressa.

Assassino! Assassino de crianças!

Eu apresentava a comunicação não violenta a cerca de 170 palestinos muçulmanos numa mesquita do campo de refugiados de Deishé [logo ao sul de Belém, na Cisjordânia]. Na época, o comportamento das pessoas não era favorável aos americanos. De repente, enquanto eu falava, percebi que um rumor de tumulto se espalhava pelo público. "Estão cochichando que você é americano!" — alertou meu intérprete, no mesmo momento em que um dos participantes se levantava subitamente. Olhando fixo para mim, ele gritou a plenos pulmões: "Assassino!" De imediato, uma dúzia de outras vozes se juntou a ele em coro: "Assassino! Assassino de crianças!"

Felizmente, fui capaz de concentrar a atenção no que aquele homem sentia e necessitava. No caso em questão, eu tinha algumas pistas. A caminho do campo de refugiados, eu vira várias latas vazias de gás lacrimogêneo, que haviam sido atiradas contra o campo na noite anterior. Em cada uma delas, estavam claramente marcadas as palavras *made in USA* [fabricado nos EUA]. Eu sabia que os refugiados tinham muita raiva dos Estados Unidos por fornecerem gás lacrimogêneo e outras armas a Israel.

Dirigi-me ao homem que me chamara de assassino.

MBR   Você está com raiva porque gostaria que meu governo usasse seus recursos de forma diferente? *[Eu não sabia se meu palpite estava certo. No entanto, o fundamental era meu esforço sincero de me sintonizar com o sentimento e as necessidades daquele homem.]*

HOMEM   Pode ter certeza de que estou! Você acha que precisamos de gás lacrimogêneo? Precisamos é de esgotos, não do gás lacrimogêneo de vocês! Precisamos de moradias! Precisamos ter o nosso país!

MBR   Então você está furioso e gostaria de algum apoio para melhorar suas condições de vida e obter independência política?

HOMEM   Você sabe o que é viver 27 anos aqui, do jeito que tenho vivido com a família, filhos e tudo mais? Você tem a mais ínfima noção do que isso tem sido para nós?

MBR   Está me parecendo que você está muito desesperado e imagina se eu ou qualquer outra pessoa pode realmente compreender o que significa viver nessas condições. Foi isso mesmo que você quis dizer?

HOMEM   Quer compreender? Me diga: você tem filhos? Eles vão à escola? Têm parquinhos para brincar? Meu filho está doente! Ele brinca no esgoto a céu aberto! Sua sala de aula não tem livros! Já viu uma escola sem livros?

MBR   Estou ouvindo quanto é penoso criar seus filhos aqui. Você gostaria que eu soubesse que o que você quer é o que todos os pais desejam para os filhos — boa educação, oportunidade de brincar e crescer em um ambiente saudável...

HOMEM   É isso mesmo! O básico! Direitos humanos — não é isso que vocês americanos dizem? Por que não vêm mais de vocês aqui para ver que tipo de direitos humanos vocês estão trazendo para cá?

MBR   Você gostaria que mais americanos tomassem consciência da enormidade do sofrimento que ocorre aqui e vissem em detalhe as consequências de nossas ações políticas?

Nosso diálogo continuou; ele, manifestando sua mágoa por 20 minutos mais; eu, procurando captar o sentimento e a necessidade por trás de cada frase. Não concordei nem discordei. Recebi as palavras dele não como ataque, mas como presente de outro ser humano que se dispunha a compartilhar comigo sua alma e sua profunda vulnerabilidade.

Quando se sentiu compreendido, o homem conseguiu ouvir de mim a explicação de por que eu estava naquele campo. Uma hora depois, o mesmo homem que chamara de assassino me convidava a ir à sua casa para um jantar de ramadã.

2 A comunicação que bloqueia a compaixão

> Não julguem para que não sejam julgados. Pois, da mesma forma que julgam, vocês serão julgados [...].
>
> MATEUS 7, 1

Ao estudar a questão do que nos afasta do estado natural de compaixão, identifiquei formas específicas de linguagem e comunicação que acredito contribuam para o comportamento violento com os outros e conosco. Para designar tais formas de comunicação, utilizo a expressão *comunicação alienante da vida*.

Certos tipos de comunicação nos afastam de nosso estado natural de compaixão.

JUÍZOS MORAIS

Um tipo de comunicação alienante da vida são os juízos morais, que inferem erro ou ruindade nas pessoas que não agem conforme certos valores. Tais julgamentos aparecem em frases como: "Seu problema é ser egoísta demais"; "Ela é preguiçosa"; "Eles são preconceituosos"; "Isso é errado".

No mundo dos julgamentos, o que importa é "quem é o quê".

Culpa, insulto, depreciação, rotulação, crítica, comparação e análises são formas de julgamento.

Certa vez, o poeta sufista Rumi escreveu: "Além das ideias de certo e de errado existe um campo. Eu me encontrarei lá com você". No entanto, a comunicação alienante da vida nos prende num mundo de ideias sobre o certo e o errado — um mundo de julgamentos, uma linguagem cheia de palavras que classificam e dicotomizam as pessoas e seus atos. Quando empregamos essa linguagem, julgamos os outros e seu comportamento preocupando-nos com o que é bom, mau, normal, anormal, responsável, irresponsável, inteligente, ignorante etc.

Muito antes de ter chegado à idade adulta, aprendi a me comunicar de uma maneira impessoal que não exigia que eu revelasse o que se passava dentro de mim. Quando encontrava pessoas ou comportamentos de que não gostava ou não compreendia, reagia considerando-os errados. Se meus professores me passavam uma tarefa que eu não queria fazer, eles eram "medíocres" ou estavam "exorbitando". Se alguém me desse uma fechada no trânsito, minha reação era gritar: "Idiota!" Quando usamos tal linguagem, pensamos e nos comunicamos com base no que há de errado com os outros para se comportarem desta ou daquela maneira — ou, ocasionalmente, o que há de errado com nós mesmos para não compreendermos ou reagirmos do modo que gostaríamos.

Analisar os outros é expressão de nossas necessidades e valores.

Nossa atenção se concentra em classificar, analisar e determinar níveis de erro, em vez de fazê-lo no que nós e os outros necessitamos e não conseguimos obter.

Assim, se minha mulher deseja mais afeto do que lhe dou, ela é "carente e dependente". Mas, se quero mais atenção do que me dá, então ela é "indiferente e insensível". Se meu colega atenta mais aos pormenores do que eu, ele é "meticuloso e compulsivo". Por outro lado, se sou eu quem presta mais atenção aos detalhes, ele é "descuidado e desorganizado".

Estou convencido de que todas essas análises de outros seres humanos são expressões lamentáveis de nossos valores e necessidades. São lamentáveis porque, quando revelamos valores e necessidades de tal forma, reforçamos a postura defensiva e a resistência a eles nas próprias pessoas cujo comportamento nos interessa. Ou, se essas pessoas concordam em agir de acordo com nossos valores porque aceitam nossa análise de que estão erradas, é provável que o façam por medo, culpa ou vergonha.

Todos pagamos caro quando os outros reagem a nossos valores e necessidades não pelo desejo de se entregar de coração, mas por medo, culpa ou vergonha. Cedo ou tarde, sofreremos as consequências da diminuição da boa vontade daqueles que se submetem a nossos valores pela coerção que vem de fora ou de dentro. Eles também pagam um preço emocional, pois provavelmente sentirão ressentimento e menos autoestima quando reagirem a nós por medo, culpa ou vergonha. Além disso, toda vez que os outros nos associam a qualquer um desses sentimentos, reduzimos a probabilidade de que no futuro venham a reagir com compaixão a nossas necessidades e valores.

Aqui, é importante não confundir *juízos de valor* com *juízos morais*. Todos fazemos juízos de valor sobre as qualidades que admiramos na vida — isto é, podemos enaltecer a honestidade, a liberdade ou a paz. Os juízos de valor refletem o que acreditamos ser melhor para a vida. Fazemos *juízos morais* de pessoas e comportamentos que estão em desacordo com nosso juízo de valor — por exemplo, "a violência é ruim"; "as pessoas que matam são más". Se tivéssemos sido criados com uma linguagem que facilitasse expressar a compaixão, teríamos aprendido a manifestar de pronto nossas necessidades e valores, em vez de insinuarmos que algo é ou está errado quando esses não são cumpridos. Em outro exemplo, em vez de dizer "a violência é ruim", poderíamos dizer: "Tenho medo do uso da violência para resolver conflitos. Prefiro a solução de conflitos por outros meios".

A relação entre linguagem e violência é tema das pesquisas de O. J. Harvey, professor de psicologia na Universidade do Colorado. Ele pegou amostras aleatórias de obras literárias de países mundo afora e tabulou a frequência das palavras que classificam e julgam as pessoas. Seu estudo constata elevada correlação entre o uso frequente dessas palavras e a incidência de violência. Não me surpreende saber que existe consideravelmente menos violência nas culturas em que o povo pensa em necessidades humanas do que em outras nas quais as pessoas se rotulam de "boas" ou "más" e acreditam que as "más" merecem punição. Em 75% dos programas exibidos nos horários em que há maior probabilidade de as crianças americanas assistirem à televisão, o herói ou mata pessoas ou as espanca. Tal violência costuma constituir o "clímax" do espetáculo. Os telespectadores (a quem se ensinou que os maus merecem castigo) sentem prazer em ver essa violência.

Classificar e julgar as pessoas é um estímulo à violência.

Na raiz de grande parte da violência, ou talvez de toda ela — verbal, psicológica, física, entre familiares, tribos ou países —, está um tipo de pensamento que atribui a causa de um conflito ao fato de os adversários estarem errados e à correspondente incapacidade de pensar na própria vulnerabilidade e na dos outros — o que se sente, teme, anseia, do que talvez se sinta falta etc. Durante a Guerra Fria, testemunhamos essa perigosa maneira de pensar. Os líderes americanos viam a União Soviética como um "império do mal" decidido a destruir o *American way of life* [modo de vida americano]. Os mandatários soviéticos referiam-se aos americanos como "opressores imperialistas" que tentavam subjugá-los. Nenhum dos dois lados reconhecia o medo que se escondia atrás daqueles rótulos.

COMPARAÇÕES

Outra forma de julgar é fazer comparações. No livro *Como enlouquecer você mesmo*, Dan Greenburg demonstra com humor o poder insidioso que o raciocínio empresarial pode exercer sobre nós. Ele declara que, se os leitores tiverem o desejo sincero de tornar sua vida infeliz, devem aprender a se comparar com outras pessoas. Greenburg fornece alguns exercícios a quem não conhece essa prática. O primeiro mostra fotos de corpo inteiro de um homem e uma mulher que encarnam o ideal de beleza física, de acordo com os padrões da mídia contemporânea. Pede-se aos leitores que tomem suas medidas corporais, comparem-nas com as indicadas nas fotos daqueles dois espécimes atraentes e matutem sobre as diferenças.

Comparações são uma forma de julgamento.

O exercício cumpre o prometido: ao fazermos as comparações, começamos a ficar infelizes. No momento em que já estamos tão deprimidos quanto possível, nós viramos a página e descobrimos que esse exercício tinha sido só aquecimento. Já que a beleza física é relativamente superficial, Greenburg nos dá agora a oportunidade de nos compararmos aos outros em algo que importa para valer: as realizações pessoais. Ele afirma que escolheu na lista telefônica alguns indivíduos para comparação. O primeiro nome que ele diz ter achado é o de Wolfgang Amadeus Mozart. Greenburg enumera os idiomas que Mozart falava e as obras importantes que compôs quando ainda era adolescente. O exercício nos instrui então a nos lembrarmos de nossas respectivas realizações na atual fase da vida, compará-las com o que Mozart já havia conseguido aos 12 anos e refletir longamente sobre as diferenças.

Por meio daquele exercício, até os leitores que nunca conseguem sair da infelicidade que se impuseram são capazes de ver quanto esse tipo de pensamento bloqueia a compaixão, tanto consigo quanto com os outros.

NEGAÇÃO DE RESPONSABILIDADE

Outro tipo de comunicação alienante da vida é a negação de responsabilidade. A comunicação é alienante quando atrapalha a conscientização de que cada um de nós é responsável pelos próprios pensamentos, sentimentos e atos. O uso corriqueiro da expressão *ter de* (como em "há coisas que você tem de fazer, queira ou não") ilustra de que modo a responsabilidade pessoal pelos próprios atos pode se ocultar na fala. A expressão "fazer alguém sentir-se" (como em "você me faz sentir culpado") é outro exemplo de como a linguagem facilita a negação da responsabilidade pessoal por sentimentos e pensamentos.

A linguagem atrapalha a conscientização da responsabilidade pessoal.

No livro *Eichmann em Jerusalém*, que documenta o julgamento do oficial nazista Adolf Eichmann por crimes de guerra, Hannah Arendt o cita dizendo que ele e seus colegas davam um nome à linguagem de negação de responsabilidade que usavam. Chamavam-na *Amtssprache*, que se poderia traduzir por "jargão de escritório" ou "burocratês". Por exemplo, se lhe perguntassem por que ele tomara certa atitude, a resposta poderia ser: "Tive de fazer isso". Se lhe perguntassem por quê, a resposta seria: "Ordens superiores", "a política institucional era essa", "era a lei".

Negamos responsabilidade por nossos atos quando os atribuímos a:
- Forças obscuras e impessoais — "Limpei meu quarto porque tive de limpar".
- Nossa condição, avaliação, histórico pessoal ou psicológico — "Bebo porque sou alcoólatra".
- Atos dos outros — "Bati no meu filho porque ele correu para a rua".
- Ordens de autoridades — "Menti ao cliente porque o chefe me mandou mentir".
- Pressão do grupo — "Comecei a fumar porque todos os meus amigos fumavam".
- Políticas, regras e normas institucionais — "Preciso suspendê-lo por causa dessa infração; é a norma da escola".
- Papéis determinados por sexo, idade e posição social — "Detesto ir trabalhar, mas vou porque sou pai de família".

- Impulsos incontroláveis — "Me deu uma gana enorme de comer aquele doce".

Certa vez, em meio a uma discussão entre pais e professores sobre os perigos de uma linguagem que implicasse falta de escolha, uma mulher objetou, irada: "Mas existem coisas que você tem de fazer, gostando ou não! E não vejo nada errado em dizer aos meus filhos que há coisas que também eles têm de fazer". Quando lhe pedi que desse um exemplo de algo que ela "tinha de fazer", respondeu: "É fácil! Quando eu sair daqui à noite, terei de ir para casa e cozinhar. Eu detesto cozinhar! Detesto do fundo da alma, mas tenho feito isso todos os dias há 20 anos, até quando estava muito doente, porque é uma das coisas que a gente simplesmente precisa fazer". Eu lhe disse que estava consternado em ouvir que ela passara tanto tempo na vida fazendo algo que detestava só porque se achava obrigada a fazê-lo, e que eu só poderia esperar que ela encontrasse possibilidades melhores aprendendo a linguagem da CNV.

Tenho o prazer de informar que ela aprendeu rápido. No final da oficina, foi para casa e anunciou à família que não queria mais cozinhar. A oportunidade de recebermos algum retorno de seus familiares ocorreu três semanas depois, quando os dois filhos vieram participar de um seminário. Eu estava curioso para saber como tinham reagido à declaração da mãe. O filho mais velho suspirou: "Marshall, eu simplesmente pensei 'graças a Deus!'" Vendo meu olhar intrigado, ele explicou: "Pensei comigo mesmo: talvez ela enfim pare de reclamar em todas as refeições!"

Em outra ocasião, quando eu prestava consultoria a uma secretaria distrital de ensino,

> **Podemos substituir uma linguagem que implique falta de opção por outra que reconheça a opção.**

uma professora observou: "Detesto dar nota. Acho que elas não ajudam e ainda criam muita ansiedade nos alunos. Mas tenho de dar; é a política da secretaria". Assim, acabávamos de praticar a introdução na sala de aula de um tipo de linguagem que aumentasse a consciência da responsabilidade pessoal. Sugeri à professora que substituísse a frase "tenho de dar nota porque é a política da secretaria" por esta, complementando-a: "Eu opto por dar nota porque desejo..."

Ela me respondeu sem hesitação: "Eu opto por dar nota porque desejo manter o emprego". E apressou-se a acrescentar: "Mas não gosto de dizer dessa maneira. Faz que eu me sinta tão responsável pelo que faço..."

Somos perigosos quando não temos consciência da responsabilidade pelos próprios comportamentos, pensamentos e sentimentos.

Observei: "É exatamente por isso que quero que você diga daquela maneira". Compartilho dos sentimentos do romancista e jornalista francês George Bernanos quando escreve:

> *Já faz muito tempo que penso que, se a eficiência cada vez maior da tecnologia de destruição um dia fizer nossa espécie desaparecer da Terra, não terá sido a crueldade a responsável por nossa extinção, menos ainda a indignação que a crueldade desperta ou as represálias e as vinganças que ela atrai [...], mas sim a submissão, a falta de responsabilidade do homem moderno, sua desprezível aceitação subserviente de qualquer decreto comum. Os horrores que temos visto, os horrores ainda maiores que logo veremos, são sinal não de que o número dos rebeldes, insubordinados e indomáveis esteja aumentando no mundo todo, e sim de que aumenta constantemente o número de obedientes e submissos.*
>
> GEORGE BERNANOS

OUTRAS FORMAS DE COMUNICAÇÃO ALIENANTE DA VIDA

Outro modo de linguagem que impede a compaixão é comunicar desejos como se fossem exigências. Uma exigência ameaça os ouvintes explícita ou implicitamente com culpa ou punição se eles não a atenderem. É uma forma de comunicação comum em nossa cultura, sobretudo em meio àqueles que detêm posições de autoridade.

Meus filhos me deram algumas lições valiosas sobre exigências. De alguma forma, meti na cabeça que, como pai, era meu papel fazer exigências. Contudo, aprendi que, mesmo que eu fizesse todas as exigências do mundo, elas não os levariam a fazer algo. É uma lição de humildade no exercício do poder, para aqueles que acreditam que, por sermos pais, professores ou diretores, é nossa tarefa mudar as outras pessoas e fazê-las se comportar. Pois ali estavam aqueles jovens me mostrando que eu não conseguiria obrigá-los a nada. No máximo poderia, por meio da punição, fazê-los desejar ter feito o que eu queria. E acabaram me ensinando que, sempre que eu fosse muito tolo fazendo isso, eles teriam jeitos para me fazer desejar não tê-los punido!

Nunca conseguimos forçar os outros a fazer coisa alguma.

Voltaremos a esse assunto quando aprendermos a diferenciar pedidos de exigências — parte importante da CNV.

A comunicação alienante da vida também abarca o conceito de que certos atos merecem um prêmio e outros, punição. Tal forma de pensar se expressa pelo verbo "merecer", como em "João merece ser punido pelo que fez". Presume "maldade" nas pessoas que se comportam de certas maneiras e exige punição para fazê-las arrepender-se e emendar-se.

O pensamento fundado no merecimento bloqueia a comunicação compassiva.

Creio ser do interesse de todos que as pessoas mudem não para evitar punições, mas por verem que a mudança as beneficiará.

A maioria cresceu usando uma linguagem que, em vez de nos encorajar a perceber o que sentimos e de que precisamos, nos estimula a rotular, comparar, exigir e criticar. Acredito que a comunicação alienante da vida fundamente-se em concepções sobre a natureza humana que exerceram influência durante vários séculos. Tais visões dão ênfase à nossa maldade e deficiência inatas, bem como à necessidade de educar para controlar nossa natureza inerentemente indesejável. É comum que esse tipo de educação nos faça questionar se há algo errado com os sentimentos e as necessidades que vivenciemos. Aprendemos desde cedo a afastar-nos do que se passa dentro de nós.

A comunicação alienante tem profundas raízes filosóficas e políticas.

A comunicação alienante da vida tanto se origina de sociedades hierárquicas ou dominadoras quanto as sustenta. Onde quer que uma grande população se encontre controlada por um número pequeno de indivíduos em benefício destes, é do interesse de reis, czares, nobres etc. que a massa seja educada de tal modo que a mentalidade dela se assemelhe à de escravos.

O linguajar do "errado", do "deveria" e do "tenho de" ajusta-se com perfeição a esse fim: quanto mais se for levado a pensar segundo juízos morais que implicam que algo é errado ou ruim, mais se recorrerá a instâncias exteriores — as autoridades — para saber a definição de certo, errado, bom e ruim. Quando estamos em contato com nossos sentimentos e necessidades, nós, humanos, deixamos de ser bons escravos e lacaios.

RESUMO

É natural gostarmos de dar e receber com compaixão. Entretanto, aprendemos muitas formas de comunicação alienante da vida que nos fazem falar e comportar-nos de maneiras que ferem aos outros e a nós mesmos. Uma forma de comunicação alienante da vida é o uso de juízos morais que implicam que quem não age conforme nossos valores está errado ou é mau.

Outra forma desse tipo de comunicação é fazer comparações, que são capazes de obstruir a compaixão tanto pelos outros quanto por nós mesmos. A comunicação alienante da vida também prejudica a compreensão de que cada um de nós é responsável pelos próprios pensamentos, sentimentos e atos. Comunicar desejos em forma de exigências é ainda outra característica da linguagem que impede a compaixão.

3 Observar sem avaliar

> OBSERVEM!!! Há poucas coisas tão importantes, tão religiosas quanto isso.
>
> Pastor Frederick Buechner

Posso suportar que me digas
o que fiz ou deixei de fazer.
E posso suportar tuas interpretações,
mas por favor não mistures os dois.

Se queres emaranhar um tema,
posso dizer-te como fazê-lo:
Mistura o que eu faço
à tua reação a isso.

Tu me dizes que estás decepcionada
com as tarefas inacabadas que vês,
mas me chamar de "irresponsável"
não é maneira de me motivar.

E diz-me que ficas magoada
quando rejeito tuas aproximações,
mas me chamar de frígido
não vai melhorar tuas chances.

*Sim, posso suportar que me digas
o que fiz ou deixei de fazer.
E posso suportar tuas interpretações,
mas por favor não mistures os dois.*

MARSHALL B. ROSENBERG

O primeiro componente da CNV acarreta necessariamente distinguir observação de avaliação. Precisamos observar claramente, sem avaliar, o que vemos, ouvimos ou tocamos que mexe com nossa sensação de bem-estar.

As observações constituem um elemento importante da CNV, em que desejamos expressar clara e sinceramente a outra pessoa como estamos. No entanto, ao misturarmos observação a avaliação, diminuímos a probabilidade de que os outros ouçam a mensagem que desejamos transmitir-lhes. É mais provável que eles a escutem como crítica e, assim, resistam ao que dissemos.

A CNV não nos obriga a ser totalmente objetivos e nos abstermos de avaliar. Ela apenas requer que separemos observações de avaliações. A CNV é uma linguagem dinâmica que desestimula generalizações estáticas; ao contrário, as avaliações devem sempre basear-se nas observações específicas de cada momento e contexto. O semanticista Wendell Johnson observou que criamos muitos problemas para nós ao usarmos uma linguagem estática para expressar ou captar uma realidade que muda sempre: "Nossa linguagem é um instrumento imperfeito, criado por homens antigos e ignorantes. É uma linguagem animista, que nos convida a falar de estabilidade e constâncias, de semelhanças, normalidades e tipos, de transformações mágicas, curas rápidas, problemas simples e soluções definitivas. Contudo, o mundo que tentamos simbolizar com essa linguagem é um mundo de processos, mudanças, diferenças, dimensões, fun-

As pessoas tendem a entender como crítica uma mistura de observação e avaliação.

ções, relações, crescimentos, interações, desenvolvimento, aprendizado, superação, complexidade. E o desencontro entre esse nosso mundo em mutação constante e as formas relativamente estáticas de nossa linguagem é parte de nosso problema".

Numa canção que ilustra a diferença entre avaliação e observação, minha colega Ruth Bebermeyer mostra o contraposição entre linguagem estática e linguagem dinâmica:

Nunca vi um preguiçoso;
já vi um homem que nunca corria
enquanto eu o observava, e já vi
um homem que às vezes dormia
entre o almoço e o jantar e ficava
em casa quando chovia,
mas não era preguiçoso.
Antes que me chames de louca,
pensa: ele era preguiçoso ou apenas
fazia coisas que rotulamos de "preguiçosas"?

Nunca vi uma criança burra;
vi criança que às vezes fazia
coisas que eu não compreendia ou
as fazia de um jeito que eu não previra;
já vi criança que não conhecia
os mesmos lugares em que estive,
mas não era uma criança burra.
Antes de chamá-la de burra,
pensa: era uma criança burra ou
apenas sabia coisas diferentes das que você sabia?

Procurei tanto quanto pude,
mas nunca vi um cozinheiro.
Vi alguém que misturava

ingredientes que depois comíamos;
uma pessoa que acendia o fogo
e cuidava do fogão que cozia a carne.
Vi tudo isso, mas não um cozinheiro.
Diz-me o que vês:
vês um cozinheiro ou alguém
fazendo coisas que chamamos de cozinhar?

O que alguns chamam de preguiçoso
outros chamam de cansado ou tranquilo;
o que alguns chamam de burrice
outros chamam de saber diferente.
Então, cheguei à conclusão
de que evitaremos toda confusão
se não misturarmos o que vemos
com o que é nossa opinião.
Por isso mesmo, quero também dizer:
sei que esta é apenas minha opinião.

Ruth Bebermeyer

Embora o efeito de rótulos negativos como "preguiçoso" e "burro" seja evidente, até um rótulo positivo ou aparentemente neutro, como "cozinheiro", limita a percepção de todo o ser.

A MAIS ELEVADA FORMA DE INTELIGÊNCIA HUMANA

Certa vez, o filósofo indiano J. Krishnamurti disse que observar sem avaliar é a forma mais elevada de inteligência humana. Quando li essa afirmação pela primeira vez, a ideia de "que disparate!" me passou pela cabeça antes que eu percebesse que acabara de fazer uma avaliação. A maioria sente dificuldade de fazer observações isentas de julgamento, crítica ou outras formas de análise sobre as pessoas e seu comportamento.

Adquiri aguda consciência dessa dificuldade quando trabalhei numa escola primária onde eram frequentes as dificuldades de comunicação entre os professores e o diretor. O superintendente da repartição de ensino me pedira que os ajudasse a resolver o conflito. Eu deveria conversar primeiro com os professores e depois com estes e o diretor juntos.

Iniciei a reunião com uma pergunta aos professores: "O que o diretor faz que conflita com as necessidades de vocês?"

A resposta foi rápida: "Ele fala mais que a boca!" Eu havia pedido uma observação, mas, embora a expressão "falar mais que a boca" me informasse como aquele professor avaliava o diretor, ela não descrevia o que este *dissera* ou *fizera* que levara o professor a interpretar que ele falava "mais que a boca".

Quando chamei a atenção para isso, outro professor disse: "Sei o que ele quer dizer: o diretor fala demais!" Em vez de uma observação clara do comportamento do diretor, era mais uma vez uma avaliação de quanto o diretor falava. Um terceiro professor então declarou: "Ele acha que é o único capaz de dizer algo que valha a pena". Expliquei que inferir o que outra pessoa pensa não é a mesma coisa que observar o comportamento dela. Por fim, o quarto professor arriscou: "Ele sempre quer ser o centro das atenções". Quando apontei que aquilo também era uma inferência (do que outra pessoa quer), dois professores disseram em coro: "Bem, sua pergunta é muito difícil de responder!"

Depois trabalhamos juntos para criar uma lista que identificasse *comportamentos específicos* do diretor que os incomodavam, e nos asseguramos de que essa lista não contivesse avaliações. Por exemplo, o diretor costumava contar histórias de sua infância e suas experiências de guerra durante as reuniões com os docentes. Consequentemente, as reuniões às vezes demoravam 20 minutos além do tempo. Quando perguntei se já tinham comunicado seu aborrecimento ao diretor, responderam que haviam tentado, mas o fizeram apenas com comentários com caráter de avaliação. Nunca haviam feito nenhuma referência a comportamentos específicos — o hábito de contar histórias, por exemplo — e concordaram em trazê-los à baila quando nos reuníssemos todos.

Quando a reunião geral estava quase começando, entendi do que os professores falavam. Fosse qual fosse o tema, o diretor sempre dizia: "Isso me lembra de quando..." — e passava a contar uma história sobre sua infância ou sua experiência na guerra. Esperei que os professores manifestassem seu mal-estar com o comportamento do diretor. Entretanto, em vez de comunicação não violenta, eles aplicaram condenação não verbal: alguns reviraram os olhos, outros bocejaram ostensivamente, outro ficou olhando para o relógio.

Aguentei essa situação penosa até que finalmente perguntei: "Alguém vai dizer alguma coisa?" Seguiu-se um silêncio constrangido. O professor que se manifestara primeiro em nossa reunião anterior criou coragem, olhou direto para o diretor e disse: "Ed, você fala mais que a boca".

Como mostra essa história, nem sempre é fácil livrar-se de velhos hábitos e dominar a capacidade de separar observação de avaliação. Os professores acabaram conseguindo esclarecer para o diretor os atos específicos que os aborreciam. O diretor escutou de boa vontade e então disparou: "Por que nenhum de vocês me disse isso antes?" Reconheceu estar consciente do hábito de contar histórias e, em seguida, começou a contar uma a respeito desse hábito! Eu o interrompi, observando, com bom humor, que ele estava fazendo a mesma coisa de novo. Terminamos a reunião criando maneiras para que os professores pudessem, com gentileza, fazer o diretor saber quando suas histórias não estavam sendo apreciadas.

DISTINÇÃO ENTRE OBSERVAÇÃO E AVALIAÇÃO

A tabela a seguir distingue observações isentas de avaliações daquelas que contêm avaliações.

| COMUNICAÇÃO NÃO VIOLENTA |

Comunicação	Observação com avaliação	Observação sem avaliação
1. Usar o verbo *ser* sem indicar que o avaliador se responsabiliza pela avaliação.	Você é generoso demais.	Quando o vejo dar aos outros todo o dinheiro do almoço, acho que está sendo generoso demais.
2. Usar verbos que conotem avaliação.	João vive deixando as coisas para depois.	João só estuda na véspera das provas.
3. Concluir que as inferências de uma pessoa sobre intenções, pensamentos, desejos ou sentimentos de outra pessoa são as únicas possíveis.	O trabalho dela não será aceito.	Acho que o trabalho dela não será aceito. *Ou:* Ela disse que o trabalho dela não seria aceito.
4. Confundir previsão com certeza.	Se você não comer comida saudável, sua saúde será prejudicada.	Se você não comer comida saudável, sua saúde talvez seja prejudicada.
5. Não dizer exatamente a que pessoa você se refere.	Os estrangeiros não cuidam da própria casa.	Não vi aquela família estrangeira da outra rua limpar a calçada.
6. Usar palavras que denotam habilidade sem indicar que se está fazendo uma avaliação.	Zequinha é péssimo jogador de futebol.	Em 20 partidas, Zequinha não marcou nenhum gol.
7. Usar advérbios e adjetivos de um modo que não indique uma avaliação.	Carlos é feio.	A aparência de Carlos não me atrai.

Note que as palavras *sempre, nunca, jamais* etc. indicam observações quando usadas das seguintes maneiras:
- Sempre que vi Ricardo ao telefone, ele conversou por pelo menos meia hora.
- Não consigo me lembrar de você jamais ter escrito para mim.

Às vezes, tais palavras representam um exagero de linguagem, caso em que se misturam avaliações e observações:
- Você está sempre ocupado.
- Ela nunca está quando precisamos dela.

Quando essas palavras são usadas como exagero, é comum provocarem não compaixão, mas reações defensivas.

Palavras como *frequentemente* e *raramente* também podem contribuir para confundir observação com avaliação.

Avaliações	Observações
Você raramente faz o que eu quero.	Nas últimas três vezes em que iniciei uma atividade, você disse que não queria fazê-la.
Ele aparece aqui com frequência.	Ele aparece aqui pelo menos três vezes por semana.

RESUMO

O primeiro componente da CNV implica separar observação de avaliação. Ao misturarmos observações e avaliações, os outros tendem a receber isso como crítica e resistir ao que dizemos. A CNV é uma linguagem dinâmica que desestimula generalizações estáticas. As observações devem se ater a um tempo e um contexto determinado. Por exemplo, "Zequinha não marcou nenhum gol em 20 partidas", em vez de "Zequinha é péssimo jogador de futebol".

   CNV EM AÇÃO

"O palestrante mais arrogante que já tivemos!"

O diálogo a seguir ocorreu durante uma oficina que eu conduzia. Após cerca de meia hora de apresentação, fiz uma pausa para abrir espaço a manifestações dos participantes. Um deles levantou a mão e declarou: "Você é o palestrante mais arrogante que já tivemos!"

Posso escolher dentre várias opções quando as pessoas se dirigem a mim dessa maneira. Uma delas é levar a mal a mensagem — sei que faço isso quando sinto grande ímpeto de me rebaixar, me defender ou arranjar desculpas. Outra opção (na qual estou bem treinado) é atacar a outra pessoa em razão do que considero um ataque contra mim. Naquele dia, escolhi uma terceira opção: concentrar-me no que poderia estar por trás da afirmação daquele homem.

MBR [*deduzindo das observações que ele estava fazendo*] Será que você está reagindo por eu ter demorado 30 minutos corridos para apresentar minhas ideias até que vocês tivessem oportunidade de falar?
ELE Não. Você faz tudo parecer simples demais.
MBR [*tentando esclarecer melhor*] Você reagiu desse modo porque eu não disse nada sobre a dificuldade de algumas pessoas de pôr o processo em prática?
ELE Não, não para algumas pessoas — para você!
MBR Então você reagiu por eu não ter dito que o processo às vezes pode ser difícil para mim mesmo?
ELE Isso mesmo.
MBR Você está aborrecido porque você teria apreciado algum aviso de minha parte que indicasse que eu mesmo tenho alguns problemas com o processo?
ELE [*depois de uma pequena pausa*] É isso mesmo.
MBR [*mais relaxado, agora que eu estava em contato com o sentimento e a necessidade da pessoa e dirigia minha atenção para o que* ELE *poderia querer me pedir*] Você gostaria que eu reconhecesse agora mesmo que esse processo pode ser difícil para eu mesmo colocar em prática?
ELE Sim.
MBR [*tendo esclarecido sua observação, seu sentimento e seu pedido, faço uma introspecção para ver se estou disposto a fazer o que ele pede*] Esse processo muitas vezes é difícil para mim. Ao longo desta oficina, você provavelmente me

ouvirá descrever vários incidentes em que lutei — ou perdi completamente o contato — com esse processo, essa consciência que estou apresentando a vocês. Mas o que me faz persistir são as conexões de proximidade com outras pessoas, conexões que acontecem quando consigo me manter no processo.

 **Exercício 1**

OBSERVAÇÃO OU AVALIAÇÃO?

Para determinar sua capacidade de discernir observações de avaliações, faça o exercício a seguir. Circule o número de qualquer afirmação que seja puramente uma observação, sem estar acompanhada de uma avaliação.

1. Ontem, João estava com raiva de mim sem nenhum motivo.
2. Ontem à noite, Lúcia roeu as unhas enquanto assistia à TV.
3. Marcelo não pediu minha opinião durante a reunião.
4. Meu pai é um homem bom.
5. Maria trabalha demais.
6. Luís é agressivo.
7. Cláudia foi a primeira da fila todos os dias desta semana.
8. Meu filho frequentemente não escova os dentes.
9. Lucas me disse que eu não fico bem de amarelo.
10. Minha tia se queixa toda vez que falo com ela.

Aqui estão minhas respostas ao exercício 1.
1. Se você circulou esse número, discordamos. Considero "sem nenhum motivo" uma avaliação. Também considero uma avaliação inferir que João estava com raiva. Ele podia estar magoado, amedrontado, triste ou outra coisa. Exemplos de observações sem avaliação poderiam ser "João me disse que estava com raiva" ou "João esmurrou a mesa".
2. Se você circulou esse número, estamos de acordo em que se fez uma observação não acompanhada de avaliação.

3. Se você circulou esse número, estamos de acordo em que se fez uma observação não acompanhada de avaliação.
4. Se você circulou esse número, discordamos. Considero "homem bom" uma avaliação. Uma observação sem avaliação poderia ser: "Durante os últimos 25 anos, meu pai tem doado um décimo de seu salário a obras de caridade".
5. Se você circulou esse número, discordamos. Considero "demais" uma avaliação. Uma observação sem avaliação poderia ser: "Maria passou mais de 60 horas no escritório esta semana".
6. Se você circulou esse número, discordamos. Considero "agressivo" uma avaliação. Uma observação sem avaliação poderia ser: "Luís bateu na irmã quando ela mudou de canal".
7. Se você circulou esse número, estamos de acordo em que se fez uma observação não acompanhada de avaliação.
8. Se você circulou esse número, discordamos. Considero "frequentemente" uma avaliação. Uma observação sem avaliação poderia ser: "Esta semana, meu filho deixou duas vezes de escovar os dentes antes de dormir".
9. Se você circulou esse número, estamos de acordo em que se fez uma observação sem avaliação.
10. Se você circulou esse número, discordamos. Considero "reclama" uma avaliação. Uma observação sem avaliação poderia ser: "Minha tia telefonou para mim três vezes esta semana, e em todas falou de pessoas que a trataram de um modo que não a agradou".

A MÁSCARA

Sempre uma máscara
Segura na mão magra esbranquiçada
Ela tinha sempre uma máscara diante do rosto...

Em verdade o pulso
Segurando-a com leveza
Adequava-se à tarefa.
Às vezes, entretanto,

| MARSHALL B. ROSENBERG |

Não haveria um arrepio,
Um tremor ínfimo,
Sempre bem leve...
Ao segurar a máscara?

Durante anos fiquei curioso,
Mas não ousei perguntar,
E então...
Cometi um erro,
Olhei atrás da máscara
E não encontrei
Nada...
Ela não tinha rosto.

Ela se tornara
Meramente a mão
Que segurava a máscara
Com elegância.

ANÔNIMO

4 Identificação e expressão de sentimentos

O primeiro componente da CNV é observar sem avaliar; o segundo é expressar como nos sentimos. O psicanalista Rollo May afirma que "a pessoa madura torna-se capaz de separar sentimentos em várias nuances: experiências fortes e emotivas, ou outras delicadas e sensoriais, tais quais os diferentes trechos de uma sinfonia". No entanto, para muitos os sentimentos são, nas palavras de May, "limitados como as notas de um toque de clarim".

O ALTO CUSTO DOS SENTIMENTOS NÃO EXPRESSOS

Nosso repertório de palavras para rotular os outros costuma ser maior do que o vocabulário para descrever claramente nossos estados emocionais. Passei 21 anos em escolas americanas e, em todo esse tempo, não me lembro de me perguntarem se eu estava bem. Os sentimentos simplesmente não eram considerados importantes. Valorizava-se "a maneira certa de pensar" — segundo definição daqueles que detinham cargos hierárquicos e de autoridade. Somos ensinados a estar "voltados para os outros", em vez de ter contato com nós mesmos. Aprendemos a sempre imaginar: "O que os outros acham que é certo eu dizer e fazer?"

Uma interação com uma professora quando eu tinha uns 9 anos demonstra como pode começar o distanciamento dos próprios sentimentos. Uma vez, eu me escondi numa sala de aula porque alguns meninos me esperavam do lado de fora para me bater. Uma professora me viu e pediu que eu saísse da escola. Quando expliquei que estava com medo de sair, ela declarou: "Menino grande não sente medo". Alguns anos depois, quando comecei a praticar esportes, isso se reforçou. Era típico dos treinadores valorizar atletas dispostos a "dar tudo de si" e continuar jogando, sem que importasse a dor que sentissem. Aprendi a lição tão bem que, certa vez, joguei beisebol por um mês com o pulso quebrado.

Numa oficina de CNV, um universitário falou do colega de quarto que ligava o aparelho de som tão alto que ele não conseguia dormir. Quando lhe pedi que expressasse o que sentia nessa situação, o estudante respondeu: "Sinto que não é certo tocar música tão alto à noite". Expliquei que, quando ele dizia a palavra *sinto* seguida de *que*, estava expressando uma opinião sem revelar seu sentimento. Pedi que tentasse novamente expressar seu sentimento, e ele respondeu: "Acho que, quando as pessoas fazem coisas como essa, existe um distúrbio de personalidade". Expliquei que aquilo ainda era uma opinião, não um sentimento. Ele fez uma pausa pensativa e então anunciou com veemência: "Não tenho absolutamente nenhum sentimento a respeito disso!"

Era óbvio que esse estudante tinha fortes sentimentos a respeito daquilo. Infelizmente, não sabia tomar consciência deles, quanto mais expressá-los. Essa dificuldade de identificar e expressar sentimentos é comum — e, por experiência própria, é bastante comum entre advogados, engenheiros, policiais, executivos e militares de carreira, pessoas cuja formação profissional as desencoraja a manifestar emoções. Para as famílias, o preço torna-se alto quando um familiar não consegue comunicar suas emoções. Reba McEntire, cantora de *country & western*, escreveu uma música depois da morte de seu pai e a intitulou "The greatest man I never knew" [O homem mais esplêndido que jamais conheci]. Ao fazê-lo, sem dúvida ela expressava os sentimentos de muitas pessoas que nunca conseguem estabelecer a ligação emocional que gostariam de ter com os pais.

Quase sempre ouço afirmações como: "Não me interprete mal; sou casada com um homem maravilhoso, mas nunca sei o que ele está sentindo". Uma dessas mulheres insatisfeitas trouxe o marido a uma oficina, durante a qual ela lhe disse: "Sinto como se estivesse casada com uma parede". O marido então fez uma excelente imitação de parede: ficou sentado, calado e imóvel. Exasperada, ela se virou para mim e exclamou: "Veja! É isso que acontece o tempo todo. Ele fica parado e não diz nada. É exatamente como se eu estivesse vivendo com uma parede".

Respondi: "Está me parecendo que você se sente solitária e quer uma ligação emocional maior com seu marido". Quando ela concordou, tentei mostrar que era improvável que afirmações como "sinto que estou vivendo com uma parede" despertassem a atenção do marido para os sentimentos e desejos dela. Na verdade, era mais provável que fossem ouvidas como críticas do que como convite para se conectar com os sentimentos de sua mulher. Além disso, esse tipo de afirmação frequentemente constitui um juízo que afinal se concretiza. Por exemplo, um marido ouve críticas por agir como uma parede; fica magoado, desencorajado e não responde, confirmando assim a imagem de parede que a mulher tem dele.

Os benefícios de enriquecer nosso vocabulário de sentimentos são evidentes não apenas em relacionamentos íntimos, mas também no mundo do trabalho.

Certa vez, fui contratado para dar consultoria aos membros do departamento de tecnologia de uma grande empresa suíça. Eles estavam incomodados com a descoberta de que funcionários de outros departamentos os evitavam. Quando se perguntou aos funcionários o motivo disso, eles responderam: "Detestamos consultar aquelas pessoas. É como falar com um bando de máquinas!" O problema diminuiu depois que passei algum tempo com os membros do departamento de tecnologia e os estimulei a expressar mais sua humanidade na comunicação com os colegas.

Em outra oportunidade, eu estava trabalhando com os administradores de um hospital que andavam preocupados com uma reunião iminente com os médicos do estabelecimento. Os administradores mostravam-se ansiosos para que eu lhes apresentasse como deveriam utilizar a CNV para convencer os médicos a apoiar o mesmo projeto que muito recentemente eles haviam rejeitado por 17 votos a 1.

Mudando de voz para assumir o papel de administrador numa dramatização, comecei dizendo: "Estou com medo de abordar esse assunto". Preferi começar dessa maneira porque percebi que os administradores estavam amedrontados porque logo voltariam a confrontar os médicos. Antes que eu pudesse continuar, um dos administradores me interrompeu para protestar: "Seja realista! Nós nunca diríamos aos médicos que estamos com medo".

Quando perguntei por que parecia tão impossível reconhecer que estavam com medo, ele respondeu sem hesitação: "Se confessássemos que estamos com medo, eles nos estraçalhariam!" A resposta não me surpreendeu — já ouvira muitas vezes as pessoas dizerem que jamais conseguem se imaginar expressando seus sentimentos no local de trabalho. Entretanto, fiquei satisfeito ao saber que um dos administradores efetivamente decidiu arriscar expressar sua vulnerabilidade na temida reunião. Em vez da abordagem habitual de parecer estritamente lógico, racional, impassível, ele preferiu expressar seus sentimentos e os motivos para que os médicos mudassem de posição. Ele percebeu a diferença na reação deles. No final, ficou surpreso e aliviado quando, em vez de ter sido "estraçalhado" pelos médicos, estes reverteram sua posição e apoiaram o projeto por 17 votos a 1. Aquela reviravolta impressionante ajudou os administradores a perceber e enaltecer o poder de impacto de expressar a vulnerabilidade de cada um — até mesmo no local de trabalho.

Revelar nossa vulnerabilidade pode ajudar a resolver conflitos.

Por fim, vou contar um incidente pessoal que me ensinou os efeitos de esconder sentimentos. Eu estava dando um curso de CNV para um grupo de estudantes de zonas urbanas degradadas. Quando entrei na sala no primeiro dia, os alunos, que conversavam animadamente, ficaram quietos. "Bom-dia!" — cumprimentei. Silêncio. Senti-me muito incomodado, mas tive medo de revelar isso. Ao contrário, prossegui com meu modo mais profissional. "Neste curso, estudaremos um processo de comunicação que, espero, vocês acharão útil para o relacionamento em casa e com os amigos."

Continuei a apresentar informações sobre a CNV, mas ninguém parecia estar escutando. Uma moça, vasculhando sua bolsa, tirou de lá uma lixa e começou a lixar vigorosamente as unhas. Os alunos perto das janelas colaram o rosto no vidro, como se estivessem fascinados com o que acontecia na rua lá embaixo. Comecei a me sentir cada vez mais desanimado, mas continuei sem dizer nada. Finalmente, um aluno, que decerto tinha mais coragem do que eu mostrava ter, disparou: "Você odeia estar com negros, não?" Fiquei atordoado, mas percebi imediatamente como eu mesmo contribuíra para esse entendimento do estudante por tentar esconder meu desconforto.

"Eu *estou* nervoso" — reconheci — "mas não porque vocês são negros. Minha sensação vem do fato de não conhecer ninguém aqui e desejar ter sido aceito quando entrei nesta sala". Essa revelação da minha vulnerabilidade teve um efeito perceptível nos alunos. Eles começaram a perguntar sobre mim, a contar coisas sobre eles mesmos e a demonstrar curiosidade pela comunicação não violenta.

SENTIMENTOS *VERSUS* NÃO SENTIMENTOS

Uma confusão comum gerada pela linguagem é o uso do verbo *sentir* sem realmente expressar nenhum sentimento ou sensação. Por exemplo, na frase "sinto que não consegui um acordo justo", a palavra *sinto* poderia ser substituída com mais precisão por *penso*, *creio* ou *acho*. Em geral, os sentimentos não são expressos claramente quando a palavra *sentir* é seguida de:

Diferencie sentimentos de pensamentos.

1. Termos como *que, como, como se*:
   "Sinto *que* você deveria saber isso melhor do que ninguém".
   "Sinto-me *como* um fracassado".
   "Sinto *como se* estivesse vivendo com uma parede".
2. Pronomes como *eu, ele, ela, eles, isso* etc.:
   "Sinto que *eu* tenho de estar constantemente disponível".
   "Sinto que *isso* é inútil".
3. Nomes ou palavras que se referem a pessoas:
   "Sinto que *Lúcia* tem sido bastante responsável".
   "Sinto que *meu chefe* está sendo manipulador".

Por outro lado, não é preciso usar a palavra *sentir* quando de fato expressamos um sentimento ou uma sensação: podemos dizer "estou me sentindo irritado" ou apenas "estou irritado".

Distinga "sinto que sou" de "penso que sou".

Na CNV, distinguimos as palavras que expressam sentimentos reais daquelas que assinalam *o que pensamos que somos*.

1. Uma descrição do que *pensamos* ser:
   "Sinto que sou um *mau* violonista".
   Nessa afirmação, avalio minha habilidade como violonista, em vez de expressar claramente meus sentimentos.
2. Expressões de sentimentos verdadeiros:
   "Eu me sinto *decepcionado* como violonista".
   "Sinto *impaciência* comigo mesmo como violonista".
   "Sinto-me *frustrado* como violonista".
   O sentimento real por trás da autoavaliação de "mau" violonista pode ser de decepção, frustração ou outra emoção.

Da mesma forma, é útil diferenciar palavras que descrevem o que pensamos que os outros estão fazendo à nossa volta de palavras que descrevem sentimentos reais.

Eis alguns exemplos de afirmações que podem ser facilmente confundidas com expressões de sentimento; na verdade, elas re-

velam mais sobre como achamos que os outros se comportam do que sobre o que realmente estamos sentindo:
1. "Sinto-me *insignificante* para os meus colegas de trabalho."
A palavra *insignificante* indica como eu acho que os outros estão me avaliando, e não um sentimento real, que, nessa situação, poderia ser "estou me sentindo *triste*" ou "sinto-me *desestimulado*."
2. "Sinto-me *incompreendido*."
Aqui, a palavra *incompreendido* indica minha avaliação do grau de compreensão de outra pessoa, em vez de um sentimento real. Nessa situação, posso me sentir *ansioso* ou *chateado* ou com alguma outra emoção.
3. "Sinto-me *ignorado*."
De novo, trata-se mais de uma interpretação de ações dos outros do que de uma afirmação clara de como me sinto. Sem dúvida, terá havido momentos em que pensamos estar sendo ignorados e nosso sentimento terá sido de *alívio*, porque queríamos ficar sós. Da mesma forma, houve outros momentos em que nos sentimos *magoados* por ser ignorados, porque queríamos envolver-nos.

Palavras como *ignorado* expressam como *interpretamos os outros*, não como nos *sentimos*. Veja uma amostra de palavras que podem ser usadas dessa maneira:

ameaçado	enclausurado	podado
atacado	encurralado	pressionado
aviltado	enganado	preterido
coagido	ignorado	provocado
cooptado	intimidado	rejeitado
criticado	mal compreendido	sobrecarregado
desacreditado	maltratado	subestimado
desamparado	manipulado	traído
desapontado	menosprezado	usado
diminuído	negligenciado	

| MARSHALL B. ROSENBERG |

FORMANDO UM VOCABULÁRIO DE SENTIMENTOS

Ao expressar sentimentos, é melhor usarmos palavras que se refiram a emoções específicas, em vez de palavras vagas, genéricas. Por exemplo, se dizemos "sinto-me bem quanto a isso", a palavra *bem* pode significar alegre, animado, aliviado ou várias outras emoções. Palavras como *bem* e *mal* impedem que o ouvinte entenda facilmente o que sentimos de fato.

As listas a seguir foram compiladas para ajudar a aumentar sua capacidade de exprimir os sentimentos e descrever com clareza uma ampla gama de estados emocionais.

Como é provável que uma pessoa se sinta quando suas necessidades *são* atendidas:

absorta	deslumbrada	impressionada
afetuosa	desperta	incentivada
agradecida	despreocupada	inspirada
alegre	empolgada	intensa
alerta	encantada	interessada
aliviada	em êxtase	livre
amigável	enlevada	magnífica
amorosa	entregue	maravilhada
animada	entretida	orgulhosa
arrebatada	entusiasmada	otimista
assombrada	envolvida	perceptiva
à vontade	esperançosa	plácida
bem-humorada	esplêndida	radiante
calma	estimulada	realizada
calorosa	estupefata	relaxada
cheia de alegria	eufórica	revigorada
comovida	exultante	satisfeita
complacente	fascinada	segura
confiante	feliz	sociável
corajosa	grata	útil
curiosa	iluminada	viva

Como é provável que uma pessoa se sinta quando suas necessidades *não são* atendidas:

abandonada	descontente	irritável
abatida	desesperada	letárgica
aflita	desencorajada	magoada
agitada	desiludida	mal-humorada
alvoroçada	desolada	melancólica
amargurada	despreocupada	monótona
amedrontada	encabulada	mortificada
angustiada	enciumada	nervosa
ansiosa	encrencada	obcecada
apática	enojada	oprimida
apavorada	entediada	perplexa
apreensiva	envergonhada	perturbada
arrependida	exagerada	pesarosa
assustada	exaltada	pessimista
aterrorizada	exasperada	péssima
atormentada	exausta	preguiçosa
brava	fraca	prostrada
cansada	frustrada	preocupada
carregada	horrorizada	rancorosa
cética	hostil	receosa
chateada	impaciente	rejeitada
ciumenta	impassível	relutante
confusa	incomodada	ressentida
consternada	indiferente	segregada
culpada	infeliz	sensível
deprimida	inquieta	solitária
desalentada	insatisfeita	sonolenta
desamparada	insegura	soturna
desanimada	insensível	surpresa
desapontada	instável	taciturna
desconfiada	irada	tensa
desconfortável	irritada	triste

RESUMO

O segundo componente necessário para nos expressarmos são os sentimentos. Desenvolver um vocabulário de sentimentos que nos permita nomear ou identificar de forma clara e específica nossas emoções nos conecta mais facilmente uns com os outros. Ao nos permitirmos ser vulneráveis por expressarmos nossos sentimentos, ajudamos a resolver conflitos. A CNV distingue a expressão de sentimentos verdadeiros de palavras e afirmações que descrevem pensamentos, avaliações e interpretações.

 **Exercício 2**

EXPRESSÃO DE SENTIMENTOS

Se quiser verificar se concordamos a respeito da expressão dos sentimentos, faça um círculo ao redor do número à frente de cada uma das afirmações que corresponda a sentimentos expressos verbalmente.

1. Acho que você não me ama.
2. Estou triste porque você está indo embora.
3. Fico assustada quando você diz isso.
4. Quando você não me cumprimenta, sinto-me negligenciado.
5. Estou feliz que você possa vir.
6. Você é nojento.
7. Sinto vontade de bater em você.
8. Sinto-me mal interpretado.
9. Sinto-me bem pelo que você fez por mim.
10. Não tenho valor algum.

Aqui estão minhas respostas ao exercício 2:
1. Se você circulou esse número, discordamos. Não considero que "você não me ama" seja um sentimento. Para mim, a frase expressa o que a pessoa acha que a outra sente, não o que ela mesma sente. Quando a palavra *sinto* é seguida de pronomes como *eu, você, ele, ela, eles, isso, que, como* ou *como se*, o que se segue em geral não é

o que eu consideraria um sentimento. Exemplos de expressões de sentimentos poderiam ser "estou triste" ou "me sinto angustiado".
2. Se você circulou esse número, concordamos em que um sentimento foi expresso verbalmente.
3. Se você circulou esse número, estamos de acordo em que um sentimento foi expresso verbalmente.
4. Se você circulou esse número, discordamos. Não considero *negligenciado* um sentimento. Para mim, essa palavra expressa o que a pessoa acha que outra faz a ela. Uma expressão de sentimento poderia ser: "Quando você não me cumprimenta à porta, sinto-me sozinho".
5. Se você circulou esse número, concordamos em que um sentimento foi expresso verbalmente.
6. Se você circulou esse número, discordamos. Não considero *nojento* um sentimento. Para mim, essa palavra expressa o que uma pessoa pensa da outra, não como ela se sente. Uma expressão de sentimento poderia ser "sinto-me enojado".
7. Se você circulou esse número, discordamos. Não considero que a vontade de bater em alguém seja um sentimento. Para mim, isso expressa o que uma pessoa se imagina fazendo, e não como ela se sente. Uma expressão de sentimento seria "estou furioso com você".
8. Se você circulou esse número, discordamos. Não considero *mal interpretado* um sentimento. Para mim, essa expressão diz o que uma pessoa acha que a outra faz. Nesse caso, a expressão de sentimento poderia ser "sinto-me frustrado" ou "sinto-me desestimulado".
9. Se você circulou esse número, concordamos em que se expressou um sentimento verbalmente. Contudo, a palavra *bem* é vaga quando utilizada para expressar um sentimento. Geralmente podemos manifestar os sentimentos com mais clareza usando outras palavras — por exemplo, nesse caso, *aliviado*, *grato* ou *estimulado*.
10. Se você circulou esse número, discordamos. Não considero que "não tenho valor algum" manifeste um sentimento. Para mim, a frase expressa o que essa pessoa pensa de si mesma, não o que ela está sentindo. Exemplos de expressão de sentimentos poderiam ser "sou cético quanto aos meus talentos" ou "sinto-me infeliz".

5 Responsabilizar-se pelos sentimentos

> As pessoas não são perturbadas pelas coisas, mas pelo modo como as veem.
>
> Epiteto

OUVIR UMA MENSAGEM NEGATIVA: QUATRO OPÇÕES

O terceiro componente da comunicação não violenta acarreta o reconhecimento da raiz de nossos sentimentos. A CNV aumenta a consciência de que aquilo que os outros dizem e fazem pode ser um estímulo para os nossos sentimentos, mas nunca sua causa. Com ela,

> **A atitude dos outros pode ser um estímulo dos sentimentos, mas não a causa deles.**

percebemos que os sentimentos resultam de como optamos por receber o que os outros dizem e fazem, bem como de nossas necessidades e expectativas específicas naquele momento. Com esse terceiro componente, somos levados a aceitar a responsabilidade pelo que fazemos para gerar nossos sentimentos.

Quando alguém nos transmite uma mensagem negativa, verbalmente ou não, temos quatro opções. Uma é entendê-la como ameaça e reconhecer nela apenas acusação e crítica. Por exemplo, alguém está

> **Quatro opções ao receber mensagens negativas:**
> **1. Culpar a nós mesmos.**

bravo e diz: "Você é a pessoa mais egocêntrica que eu já vi!" Tomando isso como ofensa, poderíamos reagir assim: "Ah, eu deveria

69

ter notado isso antes!" Aceitamos o julgamento feito pela outra pessoa e nos culpamos. Escolhemos essa alternativa em detrimento de nossa autoestima, pois ela nos conduz ao sentimento de culpa, à vergonha e à depressão.

2. Culpar os outros.

A segunda opção é culpar o interlocutor. Por exemplo, em resposta à frase "você é a pessoa mais egocêntrica que eu já vi", poderíamos protestar: "Você não tem o direito de dizer isso! Sempre levo em consideração as suas necessidades. Na verdade, você é que é egocêntrico!" Quando recebemos mensagens desse tipo e culpamos o interlocutor, é provável que sintamos raiva.

3. Perceber os próprios sentimentos e necessidades.

Ao recebermos uma mensagem negativa, a terceira opção é iluminar a consciência a respeito de nossos sentimentos e necessidades. Assim, poderíamos responder: "Fico magoado quando ouço você dizer que sou a pessoa mais egocêntrica que você já conheceu, porque preciso que você reconheça meu esforço para levar em consideração suas preferências". Ao concentrarmos a atenção em nossos sentimentos e necessidades, nós nos conscientizamos de que o sentimento de mágoa deriva da necessidade de que nosso esforço seja reconhecido.

Por fim, a quarta opção ao recebermos uma mensagem negativa é concentrar-nos na consciência dos sentimentos e das necessidades da *outra* pessoa expressos naquele momento. Por exemplo, poderíamos perguntar: "Você está magoada porque precisa que suas preferências sejam levadas em conta?"

4. Perceber os sentimentos e as necessidades dos outros.

Em vez de culpar os outros por nossos sentimentos, nós nos responsabilizamos por eles quando reconhecemos as necessidades, os desejos, as expectativas, os valores ou os pensamentos que temos. Observe a diferença entre as seguintes expressões de decepção:

EXEMPLO 1
A. "Você me decepcionou por não aparecer na noite passada."
B. "Fiquei decepcionado quando você não apareceu, porque eu queria discutir umas coisas que me incomodavam."

O interlocutor A atribui a responsabilidade de sua decepção apenas à atitude da outra pessoa. O interlocutor B atribui seu sentimento de decepção a seu desejo frustrado.

EXEMPLO 2
A. "Fiquei bastante irritado quando cancelaram o contrato."
B. "Quando cancelaram o contrato, senti-me bastante irritado, porque pensei que aquilo fosse uma irresponsabilidade terrível."

Na frase A, o falante atribui sua irritação exclusivamente ao comportamento de outra pessoa, ao passo que, na frase B, ele aceita a responsabilidade por seus sentimentos, ao reconhecer o pensamento por trás deles. Ele reconhece que seu modo recriminatório de pensar havia gerado a própria irritação. Na CNV, entretanto, encorajaríamos essa pessoa a dar um passo adiante, identificando o que ele quer: quais de seus desejos, necessidades, expectativas ou esperanças não foram atendidos? Como veremos, quanto mais se for capaz de relacionar sentimentos a necessidades, mais fácil será para os outros reagir com compaixão. Para relacionar seus sentimentos ao que ela queria, a pessoa da frase B poderia ter dito: "Quando cancelaram o contrato, fiquei bastante irritado porque tinha esperança de recontratar os funcionários que dispensamos no ano passado".

É muito importante reconhecermos alguns padrões da linguagem cotidiana que tendem a mascarar a responsabilidade pelos próprios sentimentos:
1. A utilização de expressões e pronomes indefinidos, como *algo* e *isso*:

"Algo que realmente me enfurece é quando saem erros de ortografia nos nossos folhetos de divulgação".
"Isso me aborrece muito."
2. O uso da expressão "estou [em certo estado emocional] porque [...]", seguida de uma pessoa ou pronome pessoal que não seja "eu":
"Estou magoado porque você disse que não me amava".
"Estou zangado porque a supervisora não cumpriu a promessa que fez."
3. Afirmações que mencionam apenas as ações de outros:
"Quando você não me liga em meu aniversário, eu fico muito magoado".
"A mamãe fica muito decepcionada quando você não come toda a comida."

Relacione o sentimento à necessidade: "Sinto-me [de tal modo] porque eu [...]"

Em cada um desses casos, podemos ampliar a consciência da própria responsabilidade ao substituirmos a frase original por "Estou [de tal modo] porque eu..." Por exemplo:

1. "*Eu me sinto* realmente enfurecido quando erros de ortografia como esse aparecem em nossos folhetos de divulgação, *porque eu* quero que nossa empresa propague uma imagem de profissionalismo."
2. "Estou zangado porque a supervisora não cumpriu a promessa que fez, *pois eu* contava com aquele fim de semana prolongado para visitar meu irmão."
3. "*A mamãe fica* decepcionada quando você não come toda a comida *porque eu* quero que você seja forte e saudável."

O mecanismo básico da motivação pela culpa é atribuir a responsabilidade pelos próprios sentimentos a outras pessoas. Quando os pais dizem "mamãe e papai ficam tristes quando você tira notas baixas na escola", deixam implícito que as atitudes da criança são a causa da felicidade ou infelicidade deles. Na aparência, responsabilizar-se pelos sentimentos dos outros pode ser facilmente confundido com preocupação positiva. Pode parecer que a criança se importa com os pais e sente-se mal porque eles estão sofrendo. Contudo, se as crianças que assumem esse tipo de responsabilidade mudam de comportamento conforme os pais desejam, elas agem não de coração, mas para evitar a culpa.

> **Faça a distinção entre entregar-se de coração e ser motivado pela culpa.**

AS NECESSIDADES NA RAIZ DOS SENTIMENTOS

Julgamentos, críticas, análises e interpretações dos outros são todas expressões apartadas das nossas necessidades. Se alguém diz "você nunca me compreende", está na verdade nos dizendo que não foi satisfeita a sua necessidade de ser compreendido. Se uma mulher casada diz:

> **Julgar os outros é uma expressão de nossas necessidades insatisfeitas.**

"Você tem trabalhado até tarde todos os dias desta semana. Você ama o trabalho mais do que a mim", ela está dizendo que sua necessidade de contato íntimo não tem sido atendida.

Quando expressamos nossas necessidades indiretamente, por meio de avaliações, interpretações e imagens, é provável que os outros escutem nelas uma crítica. E, quando se ouve algo que soa como crítica, tende-se a investir energia na autodefesa ou no contra-ataque. Se desejamos uma reação compassiva, não podemos atuar contra nós mesmos manifestando nossas necessidades pela interpretação ou pela análise do comportamento dos outros. Em vez disso, quanto mais diretamente

> **Ao expressarmos nossas necessidades, temos mais chance de satisfazê-las.**

conseguirmos vincular nossos sentimentos a nossas necessidades, mais fácil será para os outros reagir com compaixão.

Infelizmente, a maioria nunca foi ensinada a pensar partindo de necessidades. Estamos acostumados a pensar no que há de errado com os outros sempre que nossas necessidades não são satisfeitas. Assim, se desejamos que os casacos sejam pendurados no armário, podemos classificar nossos filhos de preguiçosos por deixá-los no sofá. Ou podemos interpretar nossos colegas de trabalho como irresponsáveis quando eles não desempenham suas tarefas do jeito que preferiríamos que eles fizessem.

Uma vez, fui convidado a fazer uma mediação no sul da Califórnia, entre proprietários de terras e trabalhadores rurais migrantes, cujos conflitos ficavam cada vez mais hostis e violentos. Comecei a reunião perguntando a eles duas coisas: "De que cada um de vocês precisa? E o que vocês gostariam de pedir ao outro lado em relação a essas necessidades?"

Um trabalhador rural gritou: "O problema é que essas pessoas são racistas!" Um agricultor respondeu ainda mais alto: "O problema é que essas pessoas não respeitam a lei e a ordem!" Como frequentemente acontece, os dois grupos tinham mais habilidade para analisar o erro que percebiam nos outros do que para expressar claramente as próprias necessidades.

Em situação parecida, encontrei-me certa vez com um grupo de israelenses e palestinos que desejavam criar a confiança mútua necessária para viver em paz em suas pátrias. Abri a sessão com as mesmas perguntas: "De que vocês precisam e o que gostariam de pedir uns aos outros em relação a essas necessidades?" Em vez de apresentar diretamente suas necessidades, um *mukhtar* (prefeito de aldeia) palestino respondeu: "Vocês estão agindo como um bando de nazistas!" É pouco provável que uma afirmação dessa consiga obter a cooperação de um grupo de israelenses!

Quase imediatamente, uma mulher israelense se levantou e respondeu: "*Mukhtar*, o que você disse foi de uma insensibilidade enorme!" Ali estavam pessoas que se haviam reunido para construir uma relação de confiança e harmonia, mas, já na primeira conversa, as coisas ficaram piores do que antes de começar. Isso em geral acontece quando as pessoas estão acostumadas a analisar e culpar os outros, em vez de afirmar com clareza o que necessitam. Nesse caso, a mulher poderia ter respondido ao *mukhtar* com base em suas necessidades e reivindicações dizendo, por exemplo: "Preciso de mais respeito em nosso diálogo. Em vez de nos dizer como acha que estamos agindo, o senhor poderia nos dizer o que o perturba no que estamos fazendo?"

Por experiência própria, pude constatar diversas vezes que, a partir do momento em que as pessoas começam a conversar sobre o que necessitam em vez de falarem do que está errado com as outras, a possibilidade de encontrarem maneiras de atender às necessidades de todos aumenta consideravelmente. Veja a seguir algumas das necessidades humanas básicas, que todos compartilhamos:

Autonomia
- escolher sonhos, objetivos e valores
- escolher um plano para realizar esses sonhos, objetivos e valores

Celebração
- celebrar a criação da vida e os sonhos realizados
- celebrar as perdas: entes queridos, sonhos etc. (luto)

Integridade
- autenticidade
- autovalorização
- criatividade
- significado

Interdependência
- aceitação
- amor

- apoio
- calor humano
- compreensão
- comunhão
- confiança
- consideração
- contribuição para enriquecer a vida (exercitar o poder de doação do que contribui para a vida)
- cordialidade
- empatia
- encorajamento
- respeito
- segurança emocional
- sinceridade (aquela que nos fortalece e nos permite aprender com nossas limitações)
- valorização

Lazer
- diversão
- riso

Comunhão espiritual
- beleza
- harmonia
- inspiração
- ordem
- paz

Necessidades físicas
- abrigo
- água
- alimento
- ar
- descanso

- expressão sexual
- movimento, exercício
- proteção contra formas de vida ameaçadoras: vírus, bactérias, insetos, predadores
- toque

A DOR DE EXPRESSAR NECESSIDADES
VERSUS A DOR DE NÃO EXPRESSÁ-LAS

Pode ser extremamente assustador identificarmos e revelarmos nossas necessidades num mundo onde somos em geral julgados por isso com severidade. Sobretudo as mulheres estão sujeitas a críticas. Durante séculos, a imagem da mulher amorosa tem sido associada ao sacrifício e à abdicação das próprias necessidades a fim de cuidar dos outros. Devido ao fato de a sociedade ensinar as mulheres a considerar sua maior obrigação o cuidado com os outros, elas muitas vezes aprendem a ignorar as próprias necessidades.

Discutimos numa oficina o que acontece às mulheres que interiorizam essas crenças. Se chegarem a pedir o que desejam, elas o farão de uma maneira que tanto refletirá quanto reforçará a crença de que não têm direito legítimo a suas necessidades e de que estas não são importantes. Por exemplo, por ter medo de pedir o que necessita, uma mulher pode não dizer que teve um dia cheio, está cansada e gostaria de ter um tempo à noite para si. Em vez de afirmar disso, o que ela diz soa como se fosse um caso jurídico: "Sabe, não tive um instante para mim mesma o dia todo. Passei todas as camisas, lavei as roupas da semana toda, levei o cachorro ao veterinário, fiz o jantar, fiz a marmita do almoço e telefonei para todos os vizinhos para avisar da reunião do bairro, então [implorando]… que tal se você…?" "Não!" — vem a rápida resposta.

Em lugar de compaixão, seu melancólico pedido provoca resistência nos ouvintes. Eles têm dificuldade de captar e valorizar as necessidades por trás dos pedidos e, sendo assim, reagem negativamente àquela débil tentativa de argumentar com base no que ela "deveria" ou "mereceria" receber dos outros. No final, a mulher é novamente persuadida de que suas necessidades não importam, sem perceber que elas foram expressas de tal maneira que seria improvável obter uma reação favorável.

Se não valorizarmos nossas necessidades, é provável que os outros também não as valorizem.

Minha mãe esteve uma vez numa oficina em que outras mulheres discutiam como era assustador expressar as próprias necessidades. De repente, ela se levantou, deixou a sala e não voltou por um longo tempo. Ela enfim reapareceu, com aparência muito pálida. Diante do grupo, perguntei: "Mamãe, a senhora está bem?"

"Estou" — respondeu ela —, "mas de repente percebi uma coisa que foi muito difícil para eu aceitar".

"O que é?"

"Acabei de tomar consciência de que tive raiva de seu pai durante 36 anos porque ele não atendia às minhas necessidades, mas agora percebo que não disse a ele nenhuma vez com clareza do que eu precisava."

A revelação de minha mãe foi precisa. Não consigo me lembrar de nenhuma vez em que ela tenha revelado suas necessidades a meu pai. Ela dava dicas e fazia todo tipo de rodeio, mas nunca pedia diretamente o que necessitava.

Tentamos entender por que foi tão difícil fazer isso. Minha mãe cresceu numa família pobre. Ela se lembrava de que, quando criança, pedia as coisas e era repreendida pelos irmãos e irmãs: "Você não deveria pedir isso! Sabe que somos pobres. Acha que é a única pessoa na família?" Com o tempo, ela ficou com medo de pedir o que necessitava pela provável desaprovação e crítica.

Ela contou um caso de infância sobre uma das irmãs, que tinha sido operada de apendicite e depois ganhou uma linda bolsinha de presente de outra irmã. Na ocasião, minha mãe tinha 14 anos. Ah, como ela sonhava ter uma bolsa linda coberta de contas como a da irmã! Mas não se atrevia a abrir a boca. Adivinhe o que aconteceu: ela fingiu uma dor no lado do corpo e manteve a história até o fim. A família levou-a a vários médicos. Eles não conseguiram dar um diagnóstico e optaram por fazer uma cirurgia exploratória. Foi uma aposta ousada da minha mãe, mas funcionou — ela ganhou uma bolsinha idêntica! Quando ela ganhou a ambicionada bolsa, minha mãe ficou extasiada apesar da dor que sentia por causa da cirurgia. Duas enfermeiras entraram e uma delas meteu um termômetro em sua boca. Minha mãe disse "hum, hum" para mostrar a bolsa à segunda enfermeira, que respondeu: "Oh, para mim?! Não precisava! Muito obrigada!" E levou a bolsa. Minha mãe ficou perplexa e nunca conseguiu imaginar como dizer: "Não quis dizer que estava dando a bolsa a você. Por favor, devolva-a para mim". Essa história revela de forma pungente como pode ser doloroso quando as pessoas não comunicam abertamente suas necessidades.

DA ESCRAVIDÃO EMOCIONAL À LIBERTAÇÃO EMOCIONAL

Em nosso aperfeiçoamento na direção de um estado de libertação emocional, a maioria passa por três etapas no relacionamento com os outros.

Primeira etapa. Nessa etapa, que eu denomino *escravidão emocional*, acreditamos que somos responsáveis pelos sentimentos dos outros. Achamos que devemos fazer um esforço constante para deixar a todos felizes. Se não parecem felizes, sentimo-nos responsáveis e compelidos a fazer alguma coisa. Isso pode facilmente nos levar a ver como fardos as próprias pessoas que são mais próximas de nós.

Aceitar a responsabilidade pelos sentimentos dos outros pode ser muito prejudicial aos relacionamentos íntimos. Ouço quase sempre variações do seguinte tema: "Fico bem assustada quando estou num relacionamento. Toda vez que vejo meu parceiro sofrer ou precisar de alguma coisa, eu me sinto sobrecarregada. Sinto como se estivesse numa prisão, como se fosse me sufocar, e aí tenho de sair do relacionamento o mais rápido possível". Essa reação é comum para aqueles que vivem o amor como negação das próprias necessidades, a fim de atender às necessidades da pessoa amada. Nos primeiros dias de um relacionamento, os amantes costumam se relacionar com alegria e compaixão, por causa de um sentimento de liberdade. O relacionamento é empolgante, espontâneo, maravilhoso. Com o tempo, porém, à medida que o relacionamento se torna "sério", os parceiros podem começar a assumir responsabilidade pelos sentimentos do outro.

Primeira etapa — escravidão emocional: sentimos que somos responsáveis pelos sentimentos dos outros.

Se eu fosse parceiro num relacionamento amoroso e estivesse consciente de fazer isso, poderia reconhecer a situação explicando: "Não consigo suportar quando me perco nos relacionamentos. Quando vejo minha companheira sofrer, eu me perco e aí simplesmente tenho de me libertar". Entretanto, se não atingi esse grau de consciência, é provável que eu culpe minha parceira pela deterioração do relacionamento. Aí eu poderia dizer: "Minha companheira tem tantas necessidades e é tão dependente que isso está causando muita tensão em nosso relacionamento".

Numa situação dessas, seria melhor minha parceira rejeitar a ideia de que há algo errado com suas necessidades. Ela aceitar a culpa só pioraria uma situação que já era ruim. Em vez disso, ela poderia ter uma reação empática para com a dor de minha escravidão emocional: "Então, você está em pânico. É muito difícil para você manter a dedicação e o amor que tivemos sem tornar isso uma responsabilidade, um dever, uma obrigação... Você sente sua liberdade se acabando porque acha que tem de tomar conta de mim o tempo todo". Entretanto, se em vez de uma resposta empática ela perguntasse: "Você está se sentindo tenso porque tenho exigido muito de você?" — então seria provável que nós dois nos enredássemos na escravidão emocional, tornando muito mais difícil a continuidade do relacionamento.

Segunda etapa. Nessa fase, tomamos consciência do alto custo de assumir a responsabilidade pelos sentimentos dos outros e de tentar satisfazê-los em detrimento próprio. Quando percebemos quanto perdemos da vida e o pouco que atendemos ao apelo de nossa alma, podemos ficar com raiva.

> **Segunda etapa — a desagradável: sentimos raiva; não queremos mais ser responsáveis pelos sentimentos dos outros.**

Costumo chamar jocosamente essa fase de *etapa desagradável*, pois, quando estamos diante do sofrimento de outra pessoa, tendemos a fazer comentários desagradáveis como: "O problema é *seu*! *Não sou* responsável por seus sentimentos!" Para nós, fica claro *aquilo* por que não somos responsáveis, mas ainda temos de aprender como ser responsáveis *com* os outros de uma maneira que não nos torne escravos da emoção.

Ao sairmos da etapa da escravidão emocional, pode ser que ainda levemos resquícios de medo e culpa por termos necessidades. Assim, não surpreende que acabemos revelando-as de uma maneira que parece rígida e inflexível para os outros. Por exemplo, no intervalo de uma de minhas oficinas, uma jovem afirmou que gostara muito das revelações em relação ao seu estado de escravidão emocional. Quando a oficina recomeçou, sugeri uma atividade ao grupo. Então, a mesma jovem declarou decidida: "Eu preferiria fazer outra coisa". Senti que ela estava exercendo o direito recém-descoberto de expressar as próprias necessidades — mesmo que fossem contrárias às dos outros.

Para encorajá-la a descobrir o que ela queria fazer, perguntei: "Você quer fazer outra coisa mesmo que isso vá contra as minhas necessidades?" Ela pensou por um momento e então gaguejou: "Sim... hã... quero dizer, não". A confusão dela mostra que na etapa desagradável ainda precisamos entender que a libertação emocional consiste em muito mais do que simplesmente declarar as próprias necessidades.

Lembro-me de um incidente ocorrido durante a transição de minha filha Marla para a libertação emocional. Ela sempre havia sido a "garotinha perfeita", que negava suas necessidades para atender aos desejos dos outros. Quando percebi que era frequente Marla reprimir os próprios desejos para agradar aos outros, conversei com ela a respeito de que eu gostaria muito que ela expressasse suas necessidades mais vezes. Quando mencionamos o assunto pela primeira vez, Marla protestou, desolada: "Mas, papai, eu não quero desapontar ninguém!" Tentei mostrar-lhe que sua sinceridade seria um presente mais precioso para os outros do que atender a eles para evitar que se aborrecessem. Também expliquei maneiras de estabelecer empatia com as pessoas quando estivessem incomodadas, sem tomar para si a responsabilidade pelos sentimentos delas.

Algum tempo depois, percebi que minha filha estava começando a expressar mais abertamente suas necessidades. Recebi uma ligação do diretor da escola dela, aparentemente perturbado por uma conversa que tivera com Marla, que chegara à escola vestindo um macacão. "Marla" — disse ele —, "garotas não se vestem dessa maneira". Ao que ela respondera: "Cai fora!"

Ouvir isso foi motivo de comemoração: Marla progredira da escravidão emocional para a etapa desagradável! Estava aprendendo a manifestar suas necessidades e arriscava-se a lidar com a contrariedade dos outros. É claro que ela ainda tinha de declarar suas necessidades de uma maneira mais amena, que respeitasse as necessidades dos outros, mas tive confiança de que com o tempo isso ocorreria.

Terceira etapa — libertação emocional: assumimos a responsabilidade por nossas intenções e atitudes.

Terceira etapa. Nessa etapa, a da *libertação emocional*, respondemos às necessidades dos outros por compaixão, nunca por medo, culpa ou vergonha. Desse modo, nossas atitudes nos satisfazem, assim como àqueles que são o objeto de nosso esforço. Aceitamos total responsabilidade por nossas intenções e atitudes, mas não pelos sentimentos dos outros. Nessa etapa, temos consciência de que nunca satisfaremos nossas necessidades à custa dos outros. Libertação emocional significa declarar com clareza o que necessitamos, de um modo que torne óbvio que estamos igualmente empenhados na satisfação das necessidades dos outros. A CNV foi elaborada para nos ajudar a conviver nesse nível.

RESUMO

O terceiro componente da CNV é o reconhecimento das necessidades por trás dos sentimentos. O que os outros dizem e fazem pode ser o *estímulo*, mas nunca a causa dos sentimentos. Quando alguém se comunica de forma negativa, temos quatro opções para receber essa mensagem: (1) culpar a nós mesmos, (2) culpar os outros, (3) perceber os próprios sentimentos e necessidades, (4) perceber os sentimentos e as necessidades ocultos na mensagem negativa da outra pessoa.

Julgamentos, críticas, avaliações e interpretações dos outros são todos expressões dissociadas de nossas necessidades e valores. Quando os outros ouvem críticas, tendem a empregar energia na autodefesa ou no contra-ataque. Quanto mais diretamente pudermos ligar os sentimentos às necessidades, mais fácil será para os outros reagir com compaixão.

Num mundo onde somos em geral julgados severamente por identificarmos e revelarmos nossas necessidades, pode ser bastante assustador fazer isso, sobretudo para as mulheres, a quem a sociedade ensina a ignorar as próprias necessidades para servir aos outros.

Durante o desenvolvimento da responsabilidade emocional, a maioria passa por três etapas: (1) a da "escravidão emocional" — em que acreditamos ser responsáveis pelos sentimentos dos outros —, (2) a "etapa desagradável" — em que nos recusamos a admitir que nos importamos com os sentimentos e as necessidades de outra pessoa, (3) a da "libertação emocional" — na qual assumimos total responsabilidade por nossos sentimentos, mas não os dos outros, e ao mesmo tempo nos conscientizamos de que nunca poderemos atender às nossas necessidades à custa dos outros.

 **CNV EM AÇÃO**

"Restituir o estigma da ilegitimidade!"

Uma aluna de comunicação não violenta que era voluntária numa instituição de distribuição de alimentos ficou chocada quando uma colega idosa vociferou de trás de um jornal: "O que precisamos fazer neste país é restituir o estigma da ilegitimidade!"

A reação habitual da estudante a esse tipo de afirmação teria sido não dizer nada, julgar a colega severa, mas silenciosamente, e mais tarde processar seus sentimentos em segurança e longe do local. Mas dessa vez ela se lembrou de que tinha a opção de escutar os sentimentos e as necessidades por trás das palavras que a chocaram.

ESTUDANTE *[primeiro, verificando seu palpite sobre a observação da colega]* Você está lendo alguma coisa sobre a gravidez de adolescentes no jornal?

COLEGA Estou. É inacreditável quantas estão fazendo isso!

ESTUDANTE *[agora procurando captar o sentimento da colega e que necessidade não atendida poderia ter dado origem a esse sentimento]* Você está alarmada porque gostaria que os jovens tivessem famílias estáveis?

COLEGA É claro! Sabe, meu pai teria me matado se eu tivesse feito uma coisa dessas!

ESTUDANTE Então você está se lembrando de como era para as meninas de sua geração que ficavam grávidas?

COLEGA Com certeza! Sabíamos o que nos aconteceria se ficássemos grávidas. Tínhamos medo disso o tempo todo, não era como é com essas meninas de hoje.

ESTUDANTE	Você está incomodada porque não há mais medo de punição para as garotas que ficam grávidas hoje?
COLEGA	Bem, pelo menos o medo e a punição funcionavam! Aqui diz que há garotas dormindo por aí com rapazes diferentes só para ficarem grávidas! É isso mesmo! Elas têm bebês e o resto da sociedade paga por isso!

A mulher percebeu dois sentimentos naquela afirmação: o espanto com o fato de as garotas engravidarem de propósito e o incômodo com o fato de os contribuintes acabarem pagando por crianças nascidas assim. Ela escolheu um sentimento para demonstrar sua empatia.

ESTUDANTE	Você está estarrecida por perceber que atualmente as pessoas ficam grávidas sem levar em conta a reputação, as consequências, a estabilidade financeira... todas essas coisas que vocês costumavam considerar?
COLEGA	Sim, e adivinhe quem acaba pagando por isso?

A colega, talvez sentindo-se ouvida, passou para seu outro sentimento: o de incômodo. Como acontece quando há uma mistura de sentimentos, o interlocutor retorna àquele que ainda não recebeu empatia. Não é necessário que o ouvinte comente sobre uma mistura complexa de sentimentos de uma vez; o fluxo de compaixão continuará à medida que cada sentimento voltar a aparecer.

ESTUDANTE	Parece que você está exasperada porque gostaria que o dinheiro do imposto que você paga fosse usado para outras finalidades. É isso mesmo?
COLEGA	Claro que sim! Sabia que meu filho e minha nora querem um segundo filho mas não podem tê-lo, mesmo tendo dois empregos, porque custa muito caro?
ESTUDANTE	Será que você está triste com isso? Você provavelmente adoraria ter mais um neto...
COLEGA	Sim, e não é só para mim que isso faria diferença.

ESTUDANTE ...e também seu filho poder ter a família que ele deseja... *[Embora o palpite da mulher fosse apenas parcialmente correto, ela não interrompeu o fluxo de empatia, permitindo que a colega continuasse e percebesse outra preocupação.]*
COLEGA Sim, também acho triste uma criança ser filha única.
ESTUDANTE Ah, entendo. Você gostaria que Cátia tivesse um irmãozinho?
COLEGA Isso seria bom.

Nesse ponto, a estudante percebeu uma espécie de alívio na colega. Passou-se um momento de silêncio. A estudante ficou surpresa ao descobrir que, embora ela ainda desejasse apresentar as próprias opiniões, sua urgência e tensão haviam se dissipado, porque ela não se sentia mais "adversária" da colega. Compreendera os sentimentos e as necessidades por trás das afirmações da colega e não sentiu mais que as duas estivessem em mundos diferentes.

ESTUDANTE *[expressando-se pela CNV, usando todas as quatro partes do processo: observação (O), sentimento (S), necessidade (N) e pedido (P)]* Sabe, quando você disse no começo que deveríamos restituir o estigma da ilegitimidade (O), fiquei realmente assustada (S), porque é muito importante para mim que todas nós aqui tenhamos um profundo carinho pelas pessoas que precisam de ajuda (N). Algumas das pessoas que vêm aqui à procura de ajuda são pais adolescentes (O), e quero ter certeza de que sejam bem recebidas (N). Você se importaria de me dizer como se sente quando vê Deise ou Ana entrarem aqui com o namorado? (P)

O diálogo continuou com várias outras trocas de ideias, até que a estudante conseguiu confirmar o que precisava, que a colega de fato dava carinho e ajuda com respeito aos pais solteiros adolescentes. Ainda mais importante, o que a estudante ganhou foi a nova experiência de manifestar sua discordância de uma maneira que satisfazia suas necessidades de sinceridade e respeito mútuo.

Ao mesmo tempo, a colega ficou satisfeita porque suas preocupações quanto à gravidez na adolescência foram plenamente ouvidas. Ambos os lados se sentiram compreendidos e a relação se beneficiou do fato de elas terem compartilhado seu entendimento e suas diferenças sem hostilidade. Não fosse a CNV, o relacionamento delas poderia ter começado a se deteriorar a partir desse momento, e o trabalho que ambas desejavam fazer em conjunto — cuidar e ajudar as pessoas — poderia ter sido prejudicado.

 **Exercício 3**

RECONHECIMENTO DAS NECESSIDADES

Para exercitar a identificação de necessidades, faça um círculo ao redor do número à frente das afirmações abaixo em que a pessoa assuma a responsabilidade por seus sentimentos.

1. Você me irrita quando deixa documentos da empresa no chão da sala de reunião.
2. Sinto raiva quando você diz isso, porque quero respeito, e seu modo de falar me soa como um insulto.
3. Eu me sinto desiludida quando você chega atrasado.
4. Estou triste que você não venha jantar, porque eu estava esperando que pudéssemos passar a noite juntos.
5. Estou decepcionado porque você disse que faria aquilo e não fez.
6. Estou desmotivado porque gostaria de já ter progredido mais em meu trabalho.
7. As coisinhas que as pessoas dizem às vezes me magoam.
8. Estou feliz porque você recebeu aquele prêmio.
9. Fico assustada quando você levanta a voz.
10. Estou grato pela carona que você me ofereceu, porque eu precisava chegar em casa antes dos meus filhos.

Aqui estão as minhas respostas ao exercício 3:
1. Se você circulou esse número, discordamos. Para mim, essa afirmação implica a responsabilidade exclusiva do comportamento da outra pessoa pelos sentimentos de quem falou. Ela não revela as necessidades ou os pensamentos que contribuem para os sentimentos dessa pessoa. Para tanto, a pessoa poderia ter dito: "Fico irritado quando você deixa documentos da empresa no chão da sala de reunião, porque quero que nossos documentos sejam guardados em segurança em lugar acessível".
2. Se você circulou esse número, concordamos em que a pessoa está assumindo a responsabilidade por seus sentimentos.
3. Se você circulou esse número, discordamos. Para exprimir necessidades ou pensamentos relativos a seus sentimentos, a pessoa poderia ter dito: "Eu me sinto desiludida quando você chega atrasado, porque eu esperava que conseguíssemos poltronas na primeira fila".
4. Se você circulou esse número, concordamos em que a pessoa está assumindo a responsabilidade por seus sentimentos.
5. Se você circulou esse número, discordamos. Para expressar necessidades ou pensamentos relacionados com seus sentimentos, a pessoa poderia ter dito: "Fiquei decepcionado quando você disse que faria aquilo e depois não fez, porque eu gostaria de poder confiar no que você diz".
6. Se você circulou esse número, concordamos em que a pessoa está assumindo a responsabilidade por seus sentimentos.
7. Se você circulou esse número, discordamos. Para expressar necessidades ou pensamentos relacionados com seus sentimentos, a pessoa poderia ter dito: "Às vezes, quando as pessoas dizem algumas coisinhas, fico magoado porque quero ser valorizado, não criticado".
8. Se você circulou esse número, discordamos. Para expressar necessidades e pensamentos relativos a seus sentimentos, a pessoa poderia ter dito: "Fiquei feliz quando você recebeu o prêmio, porque eu esperava que você fosse reconhecido por todo o trabalho que dedicou àquele projeto".

9. Se você circulou esse número, discordamos. Para expressar necessidades e pensamentos relacionados com seus sentimentos, a pessoa poderia ter dito: "Fico assustada quando você levanta a voz, porque penso comigo que alguém pode se magoar e preciso ter a certeza de que todos estamos seguros".
10. Se você circulou esse número, concordamos: a pessoa está assumindo a responsabilidade por seus sentimentos.

6 Pedir o que enriquece a vida

Já discorremos até aqui sobre os três primeiros componentes da CNV, que abarcam o que *observamos, sentimos* e *necessitamos*. Aprendemos a fazê-lo sem criticar, analisar, culpar ou avaliar os outros e de uma maneira capaz de inspirar compaixão. O quarto e último componente desse processo aborda a questão do que gostaríamos de pedir aos outros para enriquecer nossa vida. Quando nossas necessidades não estão sendo atendidas, depois de revelarmos o que estamos observando, sentindo e precisando, fazemos então um pedido específico: que sejam tomadas atitudes que satisfaçam as nossas necessidades. Como podemos fazer pedidos de modo que os outros se disponham a reagir com compaixão a nossas necessidades?

O USO DE LINGUAGEM POSITIVA DE AÇÃO

Em primeiro lugar, devemos expressar o que *estamos* pedindo, em vez do que *não estamos* pedindo. "Como se faz um 'não'?" — diz um verso de uma canção infantil de minha colega Ruth Bebermeyer. "Só sei que 'não farei' quando me dizem um 'não'." Essa letra de música revela dois problemas encontrados comumente quando se formulam pedidos negativos: quem ouve costuma ficar confuso com o que realmente se pede e, além disso, é mais provável que pedidos com negação gerem resistência.

Use uma linguagem positiva ao fazer pedidos.

Numa oficina de trabalho, uma mulher, frustrada porque o marido passava tempo demais no trabalho, contou como seu pedido se voltara contra ela: "Pedi a ele que não passasse tanto tempo no trabalho. Três semanas depois, ele reagiu anunciando que se inscrevera num campeonato de golfe!" Ela havia comunicado a ele com sucesso o que ela *não* queria — que ele passasse tanto tempo no trabalho —, mas deixara de pedir o que ela *realmente* queria. Quando lhe solicitei que reformulasse o pedido, ela pensou por um minuto e disse: "Eu queria ter-lhe dito que desejava que ele passasse pelo menos uma noite por semana em casa com as crianças e comigo".

Durante a Guerra do Vietnã, pediram-me que debatesse o tema guerra na televisão com um homem cuja posição diferia da minha. O programa foi gravado em videoteipe, e então pude vê-lo em casa naquela noite. Quando me vi na tela me comunicando de uma maneira que não gostaria de me comunicar, fiquei muito incomodado. Eu disse a mim mesmo: "Se alguma vez eu participar de outro debate, não farei o que fiz naquele programa! Não serei defensivo. Não deixarei que ele me faça de bobo". Note que eu disse para mim mesmo o que eu *não queria* fazer, em vez do que eu *queria* fazer.

A oportunidade de me redimir apareceu logo na semana seguinte, quando me convidaram a continuar o debate no mesmo programa. A caminho do estúdio, repeti para mim mesmo todas as coisas que eu não queria fazer. Assim que o programa teve início, o homem começou a falar exatamente da mesma maneira que na semana anterior. Durante uns dez segundos depois que ele terminara de falar, tentei não me comunicar da maneira que vinha me lembrando de não fazer. Na verdade, eu não disse nada. Simplesmente fiquei sentado lá. Assim que abri a boca, porém, as palavras começaram a sair de todas as maneiras que eu estava tão determinado a evitar! Foi uma lição dolorosa sobre o que pode acontecer quando identifico somente o que *não* quero fazer, sem esclarecer o que *quero* fazer.

Certa vez, fui convidado a trabalhar com alguns estudantes de ensino médio que sofriam com uma longa lista de queixas contra o diretor. Eles o consideravam racista e procuravam um jeito de acertar contas com ele. Um pastor que trabalhava próximo aos jovens ficou profundamente preocupado com a possibilidade de haver violência. Em respeito ao pastor, os estudantes concordaram em me encontrar.

Começaram revelando o que achavam ser discriminação da parte do diretor. Depois de ouvir várias das acusações, sugeri que, ao continuar, esclarecessem o que desejavam do diretor. "O que adiantaria isso?" — zombou um aluno, contrariado. "Nós já o procuramos para lhe dizer o que queremos. A resposta dele foi: 'Saiam daqui! Não preciso que vocês me digam o que fazer!'"

Perguntei aos alunos o que eles haviam pedido ao diretor. Lembravam-se de ter dito que não queriam que ele lhes dissesse como usar o cabelo. Sugeri que poderiam ter recebido uma resposta mais cooperativa se tivessem revelado o que *queriam*, em vez do que *não* queriam. Eles também haviam dito ao diretor que gostariam de ser tratados com imparcialidade, diante do que ele se tornou defensivo, negando com veemência jamais ter sido parcial. Arrisquei o palpite de que o diretor teria reagido de modo mais favorável se eles tivessem reivindicado atitudes mais precisas, em vez de uma atitude vaga como "tratamento justo".

Trabalhando juntos, encontramos maneiras de expor as solicitações numa linguagem positiva de ação. No final da reunião, os alunos haviam especificado 38 atitudes que gostariam que o diretor tomasse, como "gostaríamos que concordasse com a participação de alunos negros nas decisões sobre as normas de vestuário" e "gostaríamos que se referisse a nós como 'alunos negros', não como 'vocês aí'". No dia seguinte, os alunos apresentaram as reivindicações ao diretor, usando a linguagem positiva de ação que havíamos praticado. Naquela noite, recebi um telefonema eufórico deles: o diretor havia concordado com todas as 38 reivindicações!

Além de utilizarmos uma linguagem positiva, precisamos formular os pedidos no molde de ações concretas que os outros possam realizar e evitar declarações vagas, abstratas ou ambíguas. Uma tira de quadrinhos mostra um homem que havia caído num lago. Enquanto se esforça para nadar, grita para sua cadela na margem: "Lassie, vá procurar ajuda!" No quadrinho seguinte, a cadela está deitada no divã de um psicanalista. Todos sabemos que são diversas as opiniões sobre o que é "ajuda": alguns familiares meus, quando lhes peço que ajudem a lavar os pratos, pensam que "ajuda" significa "supervisão".

Um casal com problemas que compareceu a uma oficina dá outro exemplo de como uma linguagem vaga pode atrapalhar a compreensão e a comunicação. "Quero que você me deixe ser eu mesma" — declara a mulher ao marido. "Mas eu deixo!" — responde ele. "Não, você não deixa!" — insiste ela. Quando lhe pedi que se exprimisse na linguagem positiva de ação, a mulher disse: "Quero que você me dê a liberdade de crescer e de ser eu mesma".

Formular pedidos em linguagem de ação clara, positiva e concreta revela o que realmente queremos.

Uma frase dessas, porém, é tão vaga e propensa a provocar uma resposta defensiva quanto a anterior. Ela se esforçou para formular seu pedido com clareza e, depois, admitiu: "Isso é meio esquisito, mas, se for para ser precisa, acho que quero que você sorria e diga que tudo que eu faça está bom". É comum o uso de uma linguagem vaga e confusa mascarar esse tipo de jogo interpessoal de opressão.

Falta de clareza semelhante ocorreu entre um pai e seu filho de 15 anos quando vieram me consultar. "Só quero que você passe a demonstrar um pouco de responsabilidade" — declarou o pai. "É pedir demais?" Sugeri-lhe que especificasse o que o filho precisaria fazer para demonstrar a responsabilidade que ele queria. Depois de conversarmos sobre como esclarecer sua solicitação, o pai respondeu enver-

Uma linguagem vaga contribui para a confusão.

gonhado: "É, isso não soa muito bem, mas, quando digo que quero responsabilidade, pretendo mesmo dizer é que quero que ele faça o que eu pedir sem questionar — que pule quando eu disser que pule e que faça isso sorrindo". Ele então concordou comigo que, se o filho se comportasse daquela maneira, estaria demonstrando obediência, não responsabilidade.

Assim como esse pai, muitas vezes usamos uma linguagem vaga e confusa para mostrar como queremos que as outras pessoas se sintam ou sejam, sem especificar uma atitude concreta que os outros possam tomar para alcançar aquele estado. Por exemplo, um patrão faz um esforço sincero para obter um resultado dizendo aos empregados: "Quero que vocês se sintam livres para se expressar em minha presença". Essa afirmação transmite o desejo do patrão de que os empregados se "sintam livres", mas não o que eles poderiam fazer para sentir-se dessa forma. Em vez disso, o patrão poderia utilizar a linguagem positiva de ação para fazer sua solicitação: "Gostaria que vocês me *dissessem* o que posso *fazer* a fim de se sentirem mais livres para se expressar em minha presença".

Num último exemplo de como o uso de uma linguagem vaga contribui para a confusão interior, gostaria de apresentar uma conversa que eu invariavelmente tinha, em meu trabalho de psicólogo clínico, com os muitos pacientes que me procuravam queixando-se de depressão. Depois de eu

Depressão é o prêmio que ganhamos por sermos "bons".

mostrar empatia pela profundidade dos sentimentos que o paciente acabara de expressar, nossas conversas tendiam a continuar da seguinte maneira:

MBR   O que você quer e não está conseguindo?
PACIENTE   Não sei o que quero.
MBR   Achei que você fosse dizer isso.
PACIENTE   Por quê?

MBR	Minha tese é de que ficamos deprimidos porque não obtemos o que queremos, e isso acontece porque nunca nos ensinaram a conseguir o que queremos. Em vez disso, fomos ensinados a ser bons menininhos e boas menininhas e boas mães e bons pais. Se seremos qualquer uma dessas coisas boas, é melhor nos acostumarmos a ficar deprimidos. Depressão é o prêmio que ganhamos por sermos "bons". Mas, se você quer sentir-se melhor, esclareça o que gostaria que as pessoas fizessem para tornar a vida mais maravilhosa para você.
PACIENTE	Só quero que alguém me ame. Não é pedir demais, é?
MBR	É um bom começo. Agora eu quero que você esclareça o que você gostaria que as pessoas fizessem para satisfazer sua necessidade de ser amado. Por exemplo, o que eu poderia fazer neste momento?
PACIENTE	Bem, o senhor sabe...
MBR	Não estou certo de que eu saiba. Gostaria que você me dissesse o que gostaria que eu ou os outros fizessem para lhe dar o amor que você procura.
PACIENTE	Isso é difícil.
MBR	Sim, pode ser difícil formular pedidos claros. Mas pense como será difícil para os outros responder à nossa solicitação se nós mesmos não estamos certos daquilo que queremos.
PACIENTE	Está começando a ficar mais claro o que desejo que os outros façam para atender à minha necessidade de amor, mas é constrangedor.
MBR	Sim, costuma ser constrangedor. Então, o que você gostaria que eu ou os outros fizéssemos?
PACIENTE	Se for para eu realmente refletir sobre o que estou solicitando quando peço para ser amado, acho que quero que adivinhem o que eu quero antes mesmo que eu me conscientize do meu desejo. E então quero que ele seja sempre realizado.

MBR   Agradeço sua clareza. Espero que agora você consiga compreender que não é provável que você encontre alguém que atenda à sua necessidade de amor desse jeito.

Muitas vezes, meus clientes perceberam como a falta de consciência do que desejavam dos outros contribuíra significativamente para suas frustrações e sua depressão.

FAZER PEDIDOS CONSCIENTES

Às vezes conseguimos formular um pedido claro sem pronunciar nada. Suponha que você se encontre na cozinha e sua irmã, que está assistindo à televisão na sala, grite: "Estou com sede!" Nesse caso, talvez seja óbvio que ela está pedindo que você lhe leve um copo d'água.

Quando só externamos sentimentos, pode não ficar claro o que queremos.

Em outras ocasiões, porém, podemos manifestar incômodo e presumir erroneamente que o ouvinte compreendeu nosso pedido implícito. Por exemplo, uma mulher poderia dizer ao marido: "Estou chateada porque você se esqueceu do meu pedido de comprar manteiga e cebola para o jantar". Embora, para ela, possa parecer óbvio que ela está pedindo que ele volte à mercearia, o marido pode pensar que sua mulher só disse aquilo para ele se sentir culpado.

É ainda mais comum que simplesmente não tenhamos consciência do que estamos pedindo quando falamos. Conversamos *com* os outros ou falamos *a* eles sem saber como estabelecer um diálogo *junto com* eles. Lançamos palavras e usamos a presença dos outros como se fossem um cesto de lixo. Nessas situações, o ouvinte, incapaz de discernir uma solicitação clara nas palavras de quem fala, pode sentir o tipo de incômodo ilustrado no caso a seguir.

Em geral, não temos consciência do que queremos pedir.

Eu estava sentado à frente de um casal no trenzinho que leva os passageiros a seus respectivos terminais no Aeroporto Internacional Dallas/Fort Worth. Para os passageiros que estão com pressa de pegar um avião, o ritmo de lesma do trem pode ser muito irritante. O homem virou-se para sua mulher e disse alto: "Nunca vi um trem andar tão devagar em toda a minha vida!" Ela não disse nada, parecendo tensa e incomodada por não saber que resposta ele esperava dela. O marido fez então o que muitos fazem quando não obtêm a resposta que querem: ele se repetiu. Numa voz perceptivelmente mais forte, ele exclamou: "Nunca vi um trem andar tão devagar em toda a minha vida!"

A mulher, sem saber o que responder, pareceu ainda mais perturbada. Em desespero, virou-se para o marido e disse: "A velocidade deles é controlada eletronicamente". Eu não esperava que essa informação o satisfizesse, e de fato não o satisfez, pois ele repetiu pela terceira vez e ainda mais alto: "NUNCA VI UM TREM ANDAR TÃO DEVAGAR EM TODA A MINHA VIDA!" A paciência da mulher estava claramente esgotada, pois ela retrucou irritada: "Bem, o que você quer que eu faça? Que pule lá fora e o empurre?" Agora eram duas pessoas angustiadas!

Que resposta o homem queria? Acredito que ele quisesse ouvir que seu incômodo estava sendo compreendido. Se tivesse sabido disso, a mulher poderia ter respondido: "Parece que você tem medo de a gente perder o avião e está incomodado porque preferiria um trem mais rápido entre os terminais".

Pedidos feitos sem explicitar sentimentos e necessidades podem soar como exigências.

No diálogo acima, a mulher percebeu a frustração do marido, mas não conseguiu entender o que ele queria. Também complicada é a situação contrária, quando se fazem solicitações sem primeiro comunicar os sentimentos e as necessidades por trás deles. Isso é ainda mais verdadeiro quando a solicitação assume a forma de pergunta: "Por que você não vai cortar o cabelo?" Essa pergunta pode ser facilmente entendida pelos jovens como uma exigência ou uma crítica, a menos que os pais se lembrem de primeiro revelar seus sentimentos e necessidades: "Estamos preocupados, porque seu cabelo está ficando tão comprido que pode atrapalhar sua visão, pior ainda quando você está de bicicleta. Que tal cortá-lo?"

Entretanto, é mais comum que as pessoas conversem sem ter consciência do que solicitam. "Não estou pedindo nada" — podem observar. "Só tive vontade de dizer isso." Acredito que, sempre que dizemos algo a alguém, esperamos alguma reação. Pode ser apenas uma conexão por empatia — um reconhecimento verbal ou não verbal, como no caso do homem no trem, de que o outro compreendeu o que dissemos. Ou talvez queiramos apenas sinceridade: desejamos saber qual é a reação sincera do ouvinte a nossas palavras. Ou ainda podemos almejar uma atitude que satisfaça nossa necessidade. Quanto mais claros formos a respeito do que queremos da outra pessoa, será mais provável vermos essa necessidade atendida.

> **Quanto mais claros a respeito do que queremos, será mais provável obtê-lo.**

PEDIDO DE CONFIRMAÇÃO

Sabemos que uma mensagem enviada nem sempre é a mensagem recebida. Em geral, dependemos de uma confirmação verbal para concluir se ela foi compreendida como pretendíamos. Não tendo certeza disso, precisamos encontrar um modo de pedir ao ouvinte uma resposta clara de como a mensagem foi ouvida, para que desfaçamos qualquer mal-entendido. Em certas ocasiões, basta uma pergunta simples, como "está claro?" Em outras, para nos sentirmos confiantes de que realmente nos compreenderam, precisamos de mais do que um "sim, entendi". En-

> **Para saber se a mensagem enviada foi recebida com precisão, podemos pedir ao ouvinte que a repita.**

tão, podemos pedir ao ouvinte que repita com suas palavras o que nos ouviu dizer. Teremos então a oportunidade de explicar partes da mensagem a fim de resolver qualquer discrepância que notarmos na resposta recebida.

Por exemplo, uma professora se aproxima de um aluno e lhe diz: "Pedro, fiquei preocupada quando dei uma olhada em meu diário de classe ontem. Quero ter certeza de que você sabe dos trabalhos de casa que você não me entregou. Pode passar em minha sala depois da aula?" Pedro resmunga: "OK, eu sei" — e vira as costas, deixando a professora sem saber se sua mensagem foi recebida com precisão. Então ela pergunta: "Você poderia repetir o que eu acabei de dizer?" Pedro responde: "A senhora disse que tenho de perder o futebol e ficar depois da aula porque a senhora não gostou do meu dever de casa". Confirmadas as suspeitas de que Pedro não ouvira a mensagem pretendida, a professora tenta reformulá-la, mas toma cuidado com sua observação seguinte.

> **Demonstre apreço quando o interlocutor tenta atender a seu pedido de confirmação.**

Afirmativas como "você não me ouviu direito", "não foi isso o que eu disse" ou "você está me interpretando mal" podem levar Pedro a pensar que está sendo repreendido. Já que a professora percebe que Pedro respondeu sinceramente ao pedido de confirmação, ela pode dizer: "Muito obrigada por me dizer o que você escutou, mas vejo que não consegui ser clara como gostaria. Vou tentar de novo".

Pode parecer esquisito quando passamos a pedir aos outros que confirmem o que nos ouviram dizer, porque pedidos desse tipo são raros. Quando enfatizo a importância de nossa capacidade de pedir uma confirmação, as pessoas costumam estranhar. Incomodam-se em ouvir reações como "você acha que eu sou surdo?" ou "pare com seus joguinhos psicológicos". Para evitar respostas assim,

> **Demonstre empatia pelo ouvinte que não queira confirmar seu pedido.**

devemos explicar com antecedência por que às vezes poderemos pedir ao interlocutor que repita o que dissemos, deixando claro que não queremos testar sua capacidade auditiva, mas sim verificar se falamos com clareza. Contudo, se o ouvinte responder: "Ouvi o que você disse, não sou burro!" — então teremos a opção de nos concentrarmos nos sentimentos e nas necessidades dele e perguntar, em voz alta ou baixa: "Você está dizendo que ficou chateado porque quer que sua capacidade de compreender as coisas seja respeitada?"

PEDIDO DE SINCERIDADE

Depois de nos expressarmos abertamente e recebermos a compreensão que desejávamos, é comum ficarmos ansiosos para saber qual a reação da outra pessoa ao que dissemos. Geralmente, a sinceridade que gostaríamos de ver toma um de três rumos:

Quando somos diretos, é comum querermos saber do interlocutor: 1) o que ele está sentindo;

- Às vezes, gostaríamos de saber quais sentimentos foram estimulados pelo que dissemos e as razões deles. Poderíamos perguntar isso desta maneira: "Gostaria que você me dissesse como se sente a respeito do que acabei de dizer e seus motivos para se sentir assim".

2) em que está pensando; ou

- Outras vezes, gostaríamos de saber algo a respeito dos pensamentos do interlocutor quanto ao que ele acabou de nos ouvir dizer. Nesses momentos, é importante especificar que reflexões queremos que ele compartilhe conosco. Por exemplo, poderíamos dizer: "Gostaria que você me dissesse se prevê que minha proposta terá sucesso e, em caso contrário, o que você acha que poderia impedir o sucesso" — em vez de simplesmente afirmar: "Gostaria que você me dissesse o que acha do que

3) se está disposto a tomar determinada atitude.

acabei de dizer". Quando não especificamos quais reflexões gostaríamos de saber, o interlocutor pode se demorar naquelas que não desejamos.

- De outras vezes ainda, gostaríamos de saber se a pessoa está disposta a tomar certas atitudes que recomendamos. Um pedido desses poderia ser: "Gostaria que você me dissesse se está disposto a adiar nosso encontro por uma semana".

O uso da CNV requer que tenhamos consciência da forma específica de sinceridade que desejamos obter e que façamos esse pedido de sinceridade em linguagem objetiva.

PEDIDOS A UM GRUPO

Quando nos dirigimos a um grupo, é especialmente importante que sejamos claros a respeito do tipo de compreensão ou sinceridade que desejamos obter dele depois de nos manifestarmos. Se não somos claros quanto à resposta que desejamos, talvez entabulemos conversas improdutivas que terminam sem satisfazer as necessidades de ninguém.

Fui convidado ocasionalmente a trabalhar com grupos de cidadãos preocupados com o racismo em sua comunidade. Um problema comum nesses grupos é que as reuniões são chatas e infrutíferas. A falta de produtividade custa caro para os integrantes do grupo, que em geral precisam gastar suas economias para providenciar o transporte e um bom atendimento aos filhos para comparecer às reuniões. Frustrados com as longas discussões que rendiam poucas orientações, muitos integrantes abandonaram os grupos por achar que as reuniões eram perda de tempo. Além disso, as mudanças institucionais que eles lutam para realizar em geral não são do tipo que acontece rápido ou facilmente. Por tudo isso, quando tais grupos se reúnem é importante que usem bem o tempo de que dispõem.

Conheci os membros de um desses grupos, que se organizara para fazer mudanças na rede escolar. Eles acreditavam que vários aspectos da rede discriminavam os alunos com base na raça. Como suas reuniões eram improdutivas e o grupo perdia membros, eles me convidaram para observar suas discussões. Sugeri que conduzissem a reunião como de costume, e eu lhes diria se percebesse algo com que a CNV pudesse contribuir.

Um homem iniciou a reunião chamando a atenção do grupo para um artigo recente de jornal em que uma mãe pertencente a uma minoria se queixava e manifestava preocupação com o tratamento dado à sua filha pelo diretor da escola. Uma mulher complementou contando um caso ocorrido com ela quando era aluna da mesma escola. Um a um, os membros relataram experiências semelhantes. Depois de 20 minutos, perguntei ao grupo se suas necessidades estavam sendo atendidas pela discussão em andamento. Ninguém disse que sim. "Isso é o que sempre acontece nessas reuniões!" — vociferou um homem. "Tenho coisas melhores para fazer com meu tempo do que ficar aqui ouvindo as mesmas bobagens!"

Dirigi-me então ao homem que iniciara a discussão: "Poderia me dizer que reação você esperava do grupo ao trazer esse artigo de jornal?" "Achei que fosse interessante" — respondeu ele. Expliquei que minha pergunta havia sido que tipo de reação ele esperava do grupo, não o que achava do artigo. Ele pensou um pouco e então admitiu: "Não sei bem o que eu queria". E acredito que por esse motivo 20 minutos do precioso tempo do grupo haviam sido desperdiçados nessa conversa infrutífera.

É comum ocorrerem discussões improdutivas quando nos dirigimos a um grupo sem dizer claramente que resposta desejamos.

Perde-se muito tempo quando os membros de um grupo não têm certeza de qual reação esperam ao que eles disseram.

No entanto, se ao menos um membro do grupo está ciente da importância de mencionar claramente a reação desejada, ele pode transmitir essa informação a todo o grupo. Por exemplo, quando aquele homem não especificou que reação esperava, outro membro do grupo poderia ter dito: "Não compreendi que reação você espera de nós à história que você contou. Poderia dizer qual é?" Intervenções como essa podem evitar o desperdício de um tempo precioso dos grupos.

As conversas costumam arrastar-se indefinidamente, sem satisfazer as necessidades de ninguém, porque não está claro se quem iniciou a conversa obteve ou não o que queria.

Na Índia, quando recebem a reação desejada em conversas que iniciaram, elas dizem *"bâs!"* Isso significa: "Você não precisa dizer mais nada. Estou satisfeito e pronto para passar a outro assunto". Embora não tenhamos uma palavra como essa em nosso idioma, podemos ainda aproveitar a ideia desenvolvendo e promovendo a "consciência do *bâs*" em todas as conversas.

Ao ouvirmos uma exigência, vemos duas opções: submissão ou rebeldia.

PEDIDOS *VERSUS* EXIGÊNCIAS

Os pedidos são interpretados como exigência quando o interlocutor acredita que será culpado ou punido se não atender a eles. Quando ouvem uma exigência, as pessoas veem apenas duas opções: submissão ou rebeldia. Em ambos os casos, quem faz o pedido é tido como autoritário, e a capacidade do ouvinte de reagir ao pedido com compaixão se reduz.

Quanto mais tivermos culpado, punido ou acusado as pessoas que não atenderam a nossas solicitações, maior será a probabilidade de elas entenderem pedidos como exigências. Também nos custa caro quando os outros usam essas táticas. Se já tiverem sido acusadas, punidas ou forçadas a sentir-se culpadas por não fazer o que lhes pediram, é mais provável que as pessoas levem essa bagagem a todo relacionamento posterior e ouçam uma exigência em cada solicitação.

Para distinguir exigência de pedido, observe a reação de quem pediu quando a solicitação não é atendida.

Vejamos duas variações de uma situação. Jonas diz a sua amiga Maria: "Estou me sentindo sozinho e gostaria que você saísse comigo hoje à noite". Isso é um pedido ou uma exigência? A resposta é que não saberemos até observarmos como Jonas tratará Maria se ela não concordar. Suponha que ela responda: "Jonas, estou muito cansada. Se você quer companhia, que tal encontrar outra pessoa para sair com você?" Se Jonas disser "é bem do seu tipo ser assim egoísta!", a solicitação terá sido na verdade uma exigência. Em vez de ter empatia pela necessidade de Maria de descansar, ele a culpou.

> **É exigência se quem falou criticar ou julgar a outra pessoa em seguida.**

Agora considere esta situação:

JONAS   Estou me sentindo sozinho e gostaria que você saísse comigo hoje à noite.
MARIA   Jonas, estou muito cansada. Se você quer companhia, que tal encontrar outra pessoa para sair com você?
        [Jonas se vira de costas sem dizer uma palavra.]
MARIA   *[sentindo que ele está chateado]* Alguma coisa está lhe incomodando?
JONAS   Não.
MARIA   Vamos lá, Jonas, eu sinto que alguma coisa está acontecendo. Qual é o problema?
JONAS   Você sabe que estou me sentindo muito sozinho. Se você me amasse de verdade, sairia à noite comigo.

De novo, em vez de mostrar empatia, Jonas interpreta que a resposta de Maria significa que ela não o ama e por isso o rejeitou. Quanto mais interpretarmos como rejeição o não atendimento de pedidos nossos, maior será a probabilidade de nossos pedidos serem entendidos como exigências. Trata-se de um juízo que se

> **Também é exigência se quem fez o pedido tenta fazer o interlocutor sentir-se culpado.**

concretiza: quanto mais os outros nos ouvirem fazendo exigências, menos gostarão de estar perto de nós.

Por outro lado, saberíamos que a solicitação de Jonas era realmente um pedido, não uma exigência, se sua resposta a Maria demonstrasse respeito aos sentimentos e às necessidades dela. Por exemplo: "Então, Maria, você está exausta e precisa descansar hoje à noite?"

É um pedido se quem pediu mostra a seguir empatia pelas necessidades do outro.

Podemos ajudar os outros a acreditar que se trata de um pedido, não de uma exigência, mostrando que desejamos que atendam ao nosso pedido só se o fizerem espontaneamente. Assim, poderíamos perguntar "você poderia pôr a mesa?" — em vez de "gostaria que você pusesse a mesa". Todavia, a maneira mais eficaz de comunicar que se trata de pedido genuíno é mostrar empatia pelo interlocutor quando ele não atende ao nosso pedido.

Mostramos que estamos pedindo, e não exigindo, pela maneira como reagimos aos outros quando não nos atendem. Se conseguirmos demonstrar uma compreensão empática do que impede que a pessoa faça o que pedimos, então, por minha definição, fizemos um pedido, não uma exigência. Preferir fazer um pedido em lugar de uma exigência não significa que devamos desistir sempre que alguém disser não à nossa solicitação: significa que não tentaremos convencer o interlocutor antes de mostrar empatia pelo que o impede de dizer sim.

DEFINIÇÃO DO OBJETIVO AO FAZER PEDIDOS

Para expressar pedidos genuínos é também necessário ter consciência do objetivo. Se nosso objetivo é apenas mudar as pessoas e seu comportamento ou obter o que queremos, então a CNV não é o recurso indicado. O processo foi desenvolvido para aqueles que gostariam que os outros mudassem e correspondessem, mas somente se preferirem fazê-lo livremente e com compaixão. O objetivo da CNV é estabelecer um relacionamento fundado na sinceridade e na empatia. Quando os outros confiam que nosso compromisso maior é com a qualidade do relacionamento e que esperamos que esse processo satisfaça as necessidades de todos, eles podem confiar que nossas solicitações são verdadeiras, não exigências camufladas.

Nosso objetivo é um relacionamento embasado na sinceridade e na empatia.

É difícil manter a consciência desse objetivo principalmente para pais, professores, gerentes e outros cujo trabalho se baseia em influenciar pessoas e obter resultados no comportamento. Uma mãe que voltou a uma de minhas oficinas depois do intervalo do almoço sentenciou: "Marshall, fui para casa e tentei. Não funcionou". Pedi que ela descrevesse o que fizera.

"Fui para casa e expus meus sentimentos e necessidades, exatamente como praticamos. Não critiquei nem julguei meu filho. Eu simplesmente disse: 'Entenda, quando vejo que você não fez o trabalho que disse que faria, fico muito decepcionada. Gostaria de chegar em casa e encontrá-la em ordem e suas tarefas cumpridas'. Então eu fiz um pedido: disse a ele que gostaria que ele arrumasse suas coisas imediatamente."

"Parece que você expressou claramente todos os componentes" — comentei. "O que aconteceu?"

"Ele não fez o que pedi."

"E o que aconteceu depois?" — perguntei.

"Eu lhe disse que não poderia passar a vida sendo tão preguiçoso e irresponsável."

Pude ver que aquela mulher ainda não era capaz de distinguir pedidos de exigências. Ela ainda definia o processo como bem-sucedido apenas se seus "pedidos" fossem atendidos. Durante as fases iniciais do aprendizado desse processo, podemos nos ver aplicando os componentes da CNV mecanicamente, sem ter consciência de seu propósito intrínseco.

Às vezes, porém, mesmo quando temos consciência do objetivo e expressamos o pedido cuidadosamente, algumas pessoas podem ouvir nele uma exigência. Isso é especialmente verdadeiro quando ocupamos cargos de mando e falamos com pessoas que tiveram experiências com figuras de autoridade arbitrárias.

Uma vez, o diretor de uma escola de ensino médio me convidou para demonstrar aos professores como a CNV poderia ajudá-los a se comunicar com alunos que não estavam cooperando como eles gostariam.

Pediram-me que me reunisse com 40 alunos que haviam sido considerados "desajustados social e emocionalmente". Fiquei impressionado com o modo como rótulos assim funcionam como suposições que se confirmam. Se você fosse um estudante rotulado dessa maneira, isso não lhe daria exatamente permissão de se divertir um pouco na escola resistindo ao que lhe pedissem? Ao rotularmos as pessoas, agimos com elas de um modo que instiga o próprio comportamento que nos incomoda, que então consideramos uma confirmação da avaliação que fizemos. Já que aqueles estudantes sabiam que tinham sido classificados de "desajustados social e emocionalmente", ao entrar na sala não me surpreendi que a maioria estivesse debruçada na janela gritando obscenidades para os colegas no pátio abaixo.

Comecei com um pedido: "Gostaria que todos se aproximassem e sentassem para que eu diga quem sou e o que gostaria que fizéssemos hoje". Cerca de metade dos estudantes se aproximou. Sem saber se todos haviam escutado, repeti o pedido. Com isso, o restante dos estudantes se sentou, com exceção de dois rapazes, que continuaram debruçados no parapeito. Infelizmente para mim, esses dois eram os maiores alunos da turma.

"Com licença" — disse a eles —, "um dos senhores poderia me dizer o que vocês me ouviram dizer?" Um deles se virou para mim e ridicularizou: "Sim, você disse que nós tínhamos de ir até aí e sentar". Pensei comigo mesmo: "Epa! Ele entendeu meu pedido como uma exigência".

Eu disse bem alto: "Senhor!" Aprendi a sempre tratar de "senhor" pessoas com bíceps como os dele, ainda mais quando um tem uma tatuagem. "O senhor estaria disposto a me dizer como eu poderia tê-lo feito entender o que eu queria de modo que isso não soasse como se eu estivesse lhe dando uma ordem?"

"Hein?!" Tendo sido condicionado a esperar exigências de autoridades, ele não estava acostumado à minha abordagem diferente. "Como posso fazê-lo entender o que espero do senhor sem que pareça que não me importo com o que o senhor gostaria?" — repeti. Ele hesitou por um momento e sacudiu os ombros: "Eu não sei".

"O que está acontecendo entre o senhor e eu neste momento é um bom exemplo do que eu gostaria que conversássemos hoje. Acredito que as pessoas podem gostar muito mais da companhia das outras quando sabem dizer o que querem sem dar ordens. Quando eu lhe digo do que eu gostaria, não estou dizendo que tenha de fazê-lo, sob pena de eu tornar sua vida uma desgraça. Não sei como dizer isso de maneira que o senhor possa confiar." Para meu alívio, isso pareceu fazer sentido para o rapaz, que, juntamente com o amigo, veio a passos lentos para se juntar ao grupo. Em certas situações como essa, pode demorar algum tempo antes que nossos pedidos sejam entendidos claramente como são.

Ao fazermos um pedido, também ajuda se vasculharmos a mente em busca de pensamentos do tipo que transforma automaticamente pedidos em exigências:

- Ele *deveria* se arrumar sozinho.
- *Espera-se* que ela faça o que eu peço.
- Eu *mereço* um aumento.
- Tenho *motivos* para que eles fiquem até mais tarde.
- Tenho *direito* a mais tempo de folga.

Quando formulamos nossas necessidades dessa maneira, tendemos a julgar os outros quando não fazem o que pedimos. Tive esse tipo de pensamento hipócrita uma vez, quando meu filho caçula não levara o lixo para fora. Ao dividirmos as tarefas de casa, ele concordara com essa, mas todos os dias era uma batalha colocar o lixo na rua. Sempre eu lembrava a ele: "Cada um faz a sua parte" — com o único objetivo de levá-lo a pôr o lixo para fora.

Enfim, uma noite escutei mais atentamente o que ele me dissera o tempo todo sobre não pôr o lixo para fora. Escrevi a canção a seguir depois da discussão daquela noite. Assim que meu filho sentiu minha empatia por sua posição, ele começou a pôr o lixo para fora sem que eu tivesse de lembrá-lo disso.

CANÇÃO PARA BRETT

Se eu entender claramente
que não me darás ordens,
em geral responderei quando chamares.
Mas se te aproximares
como patrão superior e poderoso,
sentirás que bateste num muro.
E quando me lembrares
muito devotadamente
de tudo aquilo que fizeste por mim,
será melhor te preparares:
Lá vem outra contenda!
Então poderás gritar,
poderás cuspir,
gemer, resmungar, ter um ataque;
nem assim levarei o lixo para fora.
Agora, mesmo que mudes teu jeito,
vai demorar um pouco
até que eu o perdoe e esqueça.
Porque para mim parece que tu
não me vias também humano
enquanto tuas normas não se cumprissem.

"Song from Brett", de Marshall B. Rosenberg

RESUMO

O quarto componente da CNV aborda a questão de *o que gostaríamos de pedir aos outros para nos enriquecer a vida*. Tentamos evitar frases vagas, abstratas ou ambíguas e nos lembramos de usar a linguagem positiva de ação, ao declararmos o que *estamos* pedindo, em vez de o que *não estamos*.

Quando falamos, quanto mais claros formos a respeito do que desejamos em retorno, mais provável será consegui-lo. Uma vez que a mensagem que enviamos nem sempre é a mesma que se recebe, precisamos aprender a descobrir se a mensagem foi ouvida com precisão. Principalmente quando falamos a um grupo, precisamos ser claros quanto à característica da resposta que esperamos. Caso contrário, poderemos entrar em conversas infrutíferas, que desperdiçam um tempo considerável do grupo.

Pedidos são considerados exigências quando os ouvintes acreditam que serão culpados ou punidos se não atenderem a eles. Podemos ajudar os outros a confiar em que fazemos um pedido, não uma exigência, se afirmarmos nosso desejo de que eles nos atendam somente se puderem fazê-lo espontaneamente. O objetivo da CNV não é mudar as pessoas e seu comportamento para conseguir o que queremos, mas estabelecer relacionamentos fundados na sinceridade e na empatia, que acabarão atendendo às necessidades de todos.

 **CNV EM AÇÃO**

Receio com o tabagismo do melhor amigo

Zeca e Lucas têm sido grandes amigos por mais de 30 anos. Não fumante, Zeca já fez tudo que podia nesses anos para convencer Lucas a largar o hábito de fumar dois maços de cigarros por dia. Certa vez, percebendo que durante o ano anterior a tosse intermitente do amigo piorava, Zeca acabou explodindo de raiva e de medo com toda a intensidade que represava.

ZECA Lucas, sei que já falamos sobre isso dezenas de vezes, mas escute: estou com medo de que seus malditos cigarros acabem matando você! Você é meu melhor amigo, e quero que você fique vivo pelo máximo de tempo possível. Por favor, não pense que o estou julgando — não estou. Estou apenas realmente preocupado.

LUCAS Não, sei que você está preocupado. Somos amigos há muito tempo...

ZECA *[fazendo um pedido]* Você gostaria de parar?

LUCAS Bem que eu queria.

ZECA *[percebendo os sentimentos e as necessidades que impedem que Lucas concorde em atender ao pedido]* Você está com medo de tentar porque não quer fracassar?

LUCAS É... Você sabe quantas vezes antes eu já tentei... Conheço gente que me despreza porque não consigo parar.

ZECA *[adivinhando o que Lucas gostaria de pedir]* Eu não desprezo você. E, se você tentasse e fracassasse de novo, eu ainda assim não o faria. Eu só gostaria que você tentasse.

LUCAS Obrigado. Mas você não é o único... É todo mundo. Vejo no olhar deles. Eles acham que sou um fracasso.

ZECA *[demonstrando empatia pelo sentimento de Lucas]* É demais ter de se preocupar com o que os outros podem pensar quando parar de fumar já é difícil demais?

LUCAS Detesto a ideia de que eu seja viciado, que tenho alguma coisa que não consigo controlar...
[Zeca encara Lucas e balança a cabeça concordando. O interesse e a atenção de Zeca aos sentimentos e às necessidades mais profundas do amigo revelam-se em seus olhos e no silêncio que se segue.]

LUCAS Quero dizer, nem gosto mais de fumar. Você se sente um pária se fuma em público. É constrangedor.

ZECA *[ainda demonstrando empatia]* Parece que você gostaria mesmo de parar, mas está com medo de não conseguir — e do que isso faria a sua autoimagem e autoconfiança.

LUCAS   Sim, acho que é isso... Sabe, acho que nunca falei sobre isso antes. Geralmente, quando as pessoas me dizem para parar de fumar, eu as mando para aquele lugar. Gostaria de parar, mas não quero toda essa pressão dos outros.

ZECA   Não quero pressionar você. Não sei se eu poderia aliviar seu medo de não conseguir, mas certamente gostaria de apoiá-lo de todas as formas que puder. Isto é... se você quiser...

LUCAS   Sim, eu quero. Estou realmente comovido com sua preocupação e disposição de ajudar. Mas... e se eu ainda não estiver pronto para tentar? Também está tudo bem para você?

ZECA   É claro, Lucas, vou continuar gostando de você do mesmo jeito. Só que quero gostar de você por mais tempo!

Já que o pedido de Zeca era realmente um pedido, não uma exigência, ele mantém seu compromisso com a qualidade do relacionamento, independentemente da resposta de Lucas. Exprime em palavras essa consciência e o respeito pela necessidade de autonomia de Lucas: "Vou continuar gostando de você do mesmo jeito" — enquanto expressa sua necessidade de "gostar de você por mais tempo".

LUCAS   Bem, então talvez eu tente de novo... Mas não conte a mais ninguém, tá?

ZECA   Claro, você decide quando estará pronto. Não mencionarei isso a ninguém.

 **Exercício 4**

EXPRESSÃO CLARA DE PEDIDOS

Para verificar se concordamos a respeito da clara expressão dos pedidos, circule o número à frente das frases a seguir em que a pessoa solicita claramente que se faça uma ação específica.

1. Quero que você me compreenda.
2. Eu gostaria que você me citasse algo que eu fiz de que você gostou.
3. Eu gostaria que você sentisse mais confiança em si mesmo.

4. Quero que você pare de beber.
5. Eu gostaria que você me deixasse ser eu mesma.
6. Eu gostaria que você fosse sincero comigo a respeito da reunião de ontem.
7. Eu gostaria que você respeitasse o limite de velocidade.
8. Eu gostaria de conhecer você melhor.
9. Eu gostaria que você respeitasse minha privacidade.
10. Eu gostaria que você preparasse o jantar mais vezes.

Aqui estão minhas respostas ao exercício 4.
1. Se você circulou esse número, discordamos. Para mim, a palavra *compreenda* não expressa claramente um pedido de ação específica. Um pedido de ação específica poderia ser: "Quero que você me diga o que você me ouviu dizer".
2. Se você circulou esse número, concordamos em que a frase expressa claramente um pedido.
3. Se você circulou esse número, discordamos. Para mim, *sentir mais confiança* não é uma solicitação clara de ação específica. Um pedido de ação específica poderia ser: "Gostaria que você fizesse um treinamento em assertividade, pois acredito que aumentaria sua autoconfiança".
4. Se você circulou esse número, discordamos. Para mim, *parar de beber* não expressa claramente o que a pessoa quer, mas o que ela não quer. Um pedido de ação específica poderia ser: "Quero que você me diga quais de suas necessidades a bebida satisfaz e que conversemos sobre outros modos de satisfazê-las".
5. Se você circulou esse número, discordamos. Para mim, *me deixar ser eu mesma* não é uma solicitação clara de ação específica. Para fazer uma solicitação clara, a pessoa poderia ter dito: "Quero que você me diga que não vai abandonar nosso relacionamento, mesmo que eu faça algumas coisas de que você não gosta".
6. Se você circulou esse número, discordamos. Para mim, *ser honesto comigo* não é um pedido claro de ação específica. Um pedido claro de ação específica poderia ser: "Quero que você me diga como se

sente a respeito do que eu fiz e o que gostaria que eu tivesse feito de modo diferente".
7. Se você circulou esse número, concordamos que a frase expressa claramente o que a pessoa está pedindo.
8. Se você circulou esse número, discordamos. Para mim, *conhecer você melhor* não expressa claramente uma solicitação de ação específica. Um pedido de ação específica poderia ser: "Gostaria que você me dissesse se está disposto a se encontrar comigo para almoçar uma vez por semana".
9. Se você circulou esse número, discordamos. Para mim, *demonstrar respeito por minha privacidade* não expressa com clareza um pedido de ação específica. Um pedido de ação específica poderia ser: "Gostaria que você concordasse em bater na porta antes de entrar em meu escritório".
10. Se você circulou esse número, discordamos. Para mim, *mais vezes* não expressa com clareza um pedido de ação específica. Um pedido de ação específica poderia ser: "Gostaria que você preparasse o jantar toda segunda-feira à noite".

7 Receber com empatia

Os quatro capítulos anteriores descreveram os quatro componentes da CNV: o que observamos, sentimos e necessitamos e o que desejamos pedir para nos enriquecer a vida. Agora, deixaremos de lado a autoexpressão para aplicar esses mesmos quatro componentes à escuta do que os outros estão observando, sentindo, necessitando e pedindo. Chamamos essa parte do processo de comunicação de *receber com empatia*.

As duas partes da CNV:
- **expressar-se com sinceridade;**
- **receber com empatia.**

PRESENÇA: ALÉM DE FAZER ALGO, ESTEJA PRESENTE

Empatia é a compreensão respeitosa daquilo por que os outros estão passando. O filósofo chinês Chiang-tsé afirmou que a verdadeira empatia implica a escuta com todo o ser: "Ouvir somente com os ouvidos é uma coisa. Ouvir com o intelecto é outra. Mas ouvir com a alma não se restringe a um único órgão — o ouvido ou a mente, por exemplo. Portanto, exige o esvaziamento de todos os sentidos. E, quando os sentidos estão vazios, todo o ser escuta. Ocorre então a compreensão direta do que está ali diante de você que não pode nunca ser ouvido com os ouvidos ou compreendido com a mente".

A empatia pelos outros ocorre apenas quando nos livramos de ideias preconcebidas e julgamentos

Empatia: esvaziar a mente e escutar com todo o ser.

a respeito deles. Martin Buber, filósofo israelense nascido na Áustria, descreve esse caráter da presença que a vida exige de nós: "Apesar de todas as semelhanças, cada situação da vida tem, como uma criança recém-nascida, um rosto novo que nunca se viu antes e nunca será visto outra vez. Ela exige de você uma reação que não pode ser preparada de antemão. Não exige nada do que já passou. Ela exige presença, responsabilidade; ela exige você".

Não é fácil manter a presença que a empatia exige. "A capacidade de dar atenção a alguém que sofre é muito rara e difícil; é quase um milagre; é um milagre" — afirma a escritora francesa Simone Weil. "Quase todos os que pensam ter essa capacidade não a têm." Em vez de mostrar empatia, tendemos a aconselhar, encorajar e explicar nossa posição ou sentimento pessoal. A empatia, por outro lado, exige que se concentre plenamente a atenção na mensagem da outra pessoa. Damos aos outros o tempo e o espaço que necessitam para expressar-se por completo e sentir-se compreendidos. Um ditado budista descreve apropriadamente essa capacidade: "Não apenas faça algo; esteja lá".

Pergunte antes de oferecer conselho ou encorajamento.

Costuma ser frustrante para quem necessita empatia ver-nos presumir que precise de encorajamento ou de um conselho "para consertar" a situação. Aprendi uma lição com minha filha, que me ensinou a confirmar se a outra pessoa espera um conselho ou encorajamento antes de oferecê-los. Um dia, ela se olhava no espelho e disse: "Sou feia como uma porca".

"Você é a criaturinha mais linda que Deus jamais pôs na face da Terra!" — declarei. Ela me lançou um olhar de irritação, exclamou "ai, papai!" e bateu a porta ao sair do quarto. Mais tarde descobri que ela esperava sentir empatia. Em vez de meu encorajamento na hora errada, eu poderia ter perguntado: "Você está chateada com sua aparência hoje?"

Minha amiga Holley Humphrey identificou certos comportamentos comuns que nos impedem de estar presentes para nos

aproximarmos dos outros com empatia. A seguir, alguns exemplos desses obstáculos.
- Aconselhar: "Acho que você deveria..." "Por que você não...?"
- Depreciar: "Isso não é nada. Espere só até ouvir o que aconteceu comigo".
- Instruir: "Isso pode acabar sendo uma experiência muito positiva, se você pelo menos..."
- Consolar: "Não foi culpa sua; você fez o melhor que pôde".
- Contar um caso: "Isso me lembra uma ocasião..."
- Encerrar o assunto: "Anime-se; não se sinta tão mal".
- Prestar solidariedade: "Ah, coitadinho..."
- Perguntar: "Quando foi que isso começou?"
- Explicar-se: "Eu ia telefonar, mas..."
- Corrigir: "Não foi assim que aconteceu".

No livro *Quando coisas ruins acontecem às pessoas boas*, o rabino Harold Kushner conta como foi doloroso para ele, quando seu filho estava morrendo, ouvir o que as pessoas lhe diziam com a intenção de fazê-lo sentir-se melhor. Ainda mais doloroso foi ele constatar que durante 20 anos dissera as mesmas coisas a outras pessoas em situações parecidas!

A crença de que temos de "consertar" situações e fazer que os outros se sintam melhor nos impede de estar presentes. Nós que temos o papel de conselheiros ou psicoterapeutas somos particularmente suscetíveis a essa crença.

Uma vez, quando eu trabalhava com 23 profissionais de saúde mental, pedi a eles que escrevessem, palavra por palavra, como responderiam a um paciente que dissesse: "Estou me sentindo muito deprimido. Não vejo nenhuma razão para seguir em frente". Recolhi as respostas que eles escreveram e anunciei: "Agora vou ler em voz alta o que cada um de vocês escreveu. Imaginem-se na pele da pessoa que se disse deprimida e levantem a mão depois de cada frase que ouvirem que lhes dê a sensação de que foram compreendidos". As mãos se levantaram após apenas três das 23 respostas. Perguntas como "quando isso começou?" foram a resposta mais comum — dão a impressão de que o profissional primeiro obtém as informações necessárias para diagnosticar e depois trata o problema. Na verdade, esse entendimento intelectual de um problema impede a presença que a empatia exige. Quando pensamos nas palavras de alguém e as relacionamos com nossas teorias, estamos olhando para as pessoas — não estamos com elas. O ingrediente fundamental da empatia é presença: estamos totalmente presentes diante da outra parte e daquilo por que ela passa. Essa característica da presença é a diferença entre a empatia e a compreensão mental ou a solidariedade. Embora às vezes optemos por solidarizar-nos com os outros ao sentir o sentimento deles, vale a pena ter consciência de que no momento em que prestamos solidariedade não oferecemos empatia.

O entendimento racional impede a empatia.

CAPTAR SENTIMENTOS E NECESSIDADES

Na CNV, sejam quais forem as palavras usadas pelas pessoas para se expressar, atentamos para suas observações, seus sentimentos e necessidades e o que elas pedem para tornar sua vida melhor. Imagine que você emprestou seu carro a um novo vizinho que o procurou numa emergência pessoal. Quando seus familiares sabem disso, reagem com veemência: "Você é um bobo por confiar num estranho completo!" Você pode usar os componentes da CNV para entrar em sintonia com os sentimentos e as necessidades desses familiares em vez de (1) culpar-se por achar aquela opinião ofensiva ou (2) culpá-los e julgá-los.

Atentemos só para o que os outros (1) observam, (2) sentem, (3) necessitam e (4) pedem.

Nessa situação, é óbvio o que a família observou e ao que reagiu: o fato de você ter emprestado o carro a um quase desconhecido. Em outras situações, pode não ser tão claro o motivo.

Se um colega nos diz que "você não é bom para trabalhar em equipe", podemos não saber sobre o que ele está comentando, embora quase sempre possamos adivinhar qual comportamento deflagrou essa afirmação.

O diálogo a seguir, ocorrido numa oficina, demonstra a dificuldade de concentração nos sentimentos e nas necessidades dos outros quando estamos acostumados a assumir a responsabilidade pelos sentimentos deles e entender comentários como ofensivos. A mulher nesse diálogo queria aprender a captar os sentimentos e as necessidades por trás de certas afirmações do marido. Sugeri a ela que presumisse os sentimentos e as necessidades do marido e depois os confirmasse com ele.

Declaração do marido: "De que adianta conversar com você? Você nunca escuta".

MULHER   Você está insatisfeito comigo?

MBR   Quando diz "comigo", você está inferindo que os sentimentos dele resultam do que você fez. Eu preferiria que você perguntasse: "Você está insatisfeito porque precisava de...?" — e não "você está insatisfeito comigo?" Isso levaria sua atenção para o que acontece dentro dele e diminuiria a probabilidade de você entender a fala em tom errado.

MULHER   Mas o que eu poderia dizer? "Você está insatisfeito porque você...?" Porque você o quê?

MBR   Encontre uma pista no conteúdo da afirmação do seu marido: "De que adianta conversar com você? Você nunca escuta". Ao dizer isso, de que ele precisa e não consegue obter?

Atenção ao que os outros necessitam, não ao que estão pensando.

MULHER   [procurando sentir empatia pelas necessidades expressas na afirmação do marido] Você está se sentindo infeliz porque acha que eu não o compreendo?

MBR	Observe que você está se concentrando no que ele está sentindo, não no que ele necessita. Acredito que você verá menos ameaça nas pessoas se atentar para o que elas necessitam, não para o que elas estão pensando a seu respeito. Em vez de entender que ele está infeliz porque acha que você não o escuta, concentre-se no que ele necessita dizendo: "Será que você está infeliz porque sente necessidade de...?"
MULHER	*[tentando de novo]* Você está infeliz porque sente necessidade de ser ouvido?
MBR	Era nisso que eu estava pensando. Faz alguma diferença para você ouvi-lo dessa maneira?
MULHER	Sem dúvida — uma grande diferença. Vejo o que está acontecendo com ele sem ouvir que eu fiz qualquer coisa errada.

PARAFRASEAR

Depois de concentrarmos a atenção no que os outros estão observando, sentindo, necessitando e pedindo para melhorar a própria vida, talvez queiramos dar-lhes um retorno parafraseando o que entendemos. Quando abordamos a questão dos pedidos (Capítulo 6), discorremos sobre o modo de pedir essa confirmação; agora veremos como apresentá-la aos outros.

Se nossa recepção da mensagem da outra pessoa foi precisa, uma paráfrase confirmará esse fato para ela. Por outro lado, se nossa paráfrase estiver incorreta, daremos ao outro a oportunidade de nos corrigir. Outra vantagem de optarmos por confirmar o que nos disseram é dar ao interlocutor um tempo para que reflita a respeito do que disse e uma oportunidade para que mergulhe mais fundo em si mesmo.

A CNV recomenda que a paráfrase tome a forma de perguntas que revelem o que entendemos e ao mesmo tempo levem nosso interlocutor a fazer as correções necessárias. As perguntas podem se concentrar em:

1. O que o outro está observando: "Sua reação se deve à quantidade de noites em que estive fora na semana passada?"
2. Como o outro se sente e quais necessidades geram esse sentimento: "Você está magoado porque gostaria de ter mais reconhecimento por seu esforço do que recebeu?"
3. O que o outro pede: "Você quer que eu lhe dê motivos para ter dito o que disse?"

Essas perguntas exigem que percebamos o que ocorre dentro dos outros, ao mesmo tempo que nos motivam a nos corrigir se o que percebemos está equivocado. Observe a diferença entre as perguntas acima e estas a seguir:
1. "Você se refere a qual atitude minha?"
2. "Como você está se sentindo?" "Por que se sente assim?"
3. "O que você quer que eu faça a esse respeito?"

Esse segundo bloco de perguntas pede informações sem antes sentir a realidade afetiva da outra pessoa. Embora essas perguntas pareçam ser a maneira mais direta de nos ligarmos ao que acontece com a outra pessoa, eu descobri que perguntas desse tipo não são o artifício mais eficaz para obter as informações desejadas. Muitas perguntas com esse teor podem dar às pessoas a impressão de que somos um professor avaliando-as ou um psicólogo numa sessão de terapia. Entretanto, no caso de se decidir pedir informações dessa maneira, constatei que as pessoas se

Antes de pedir informações ao interlocutor, manifeste seus sentimentos e necessidades.

sentem mais seguras se primeiro revelarmos nossos sentimentos e necessidades que motivam as perguntas. Assim, em vez de perguntarmos a alguém "o que eu fiz?", podemos dizer: "Estou frustrado porque gostaria de ter mais clareza a respeito daquilo a que você se refere. Você gostaria de me dizer o que eu fiz para que você me veja dessa maneira?" Embora essa etapa possa não ser necessária — nem mesmo útil — em situações em que os sentimentos e as necessidades são transmitidos com clareza em razão da situação presente ou do tom de voz, recomendo-a principalmente para os momentos em que as perguntas têm forte carga emocional.

Como saber se em determinada oportunidade devemos repetir para o interlocutor a mensagem que ele transmitiu? De fato, se não temos certeza de que entendemos a mensagem com exatidão, podemos usar uma paráfrase para estimulá-lo a corrigir esse palpite. Porém, mesmo que estejamos confiantes de que o entendemos, talvez sintamos que ele espera uma confirmação de que sua mensagem foi recebida com precisão. Ele pode até mesmo expressar esse desejo abertamente, perguntando: "Está claro?" Ou: "Você compreendeu o que quero dizer?" Nesses momentos, é melhor o interlocutor ouvir uma paráfrase clara para que se sinta mais seguro, em vez de ouvir um simples "sim, entendo".

Por exemplo, logo depois de participarem de um treinamento de CNV, algumas enfermeiras de um hospital pediram a uma voluntária que conversasse com uma paciente idosa: "Já dissemos a essa senhora que ela não está tão doente assim e que melhoraria se tomasse o remédio, mas ela só fica repetindo o dia inteiro no quarto: 'Quero morrer, quero morrer'". A voluntária se aproximou da idosa e, tal como as enfermeiras avisaram, encontrou-a sozinha, sussurrando vezes seguidas: "Quero morrer".

"Então a senhora gostaria de morrer" — disse a voluntária, mostrando empatia. Surpresa, a mulher parou a ladainha e pareceu aliviada. Começou a contar que ninguém entendia quanto ela se sentia muito mal. A voluntária continuou repetindo os sentimentos da mulher. Não demorou muito para o calor humano dominar o diálogo e elas ficarem de braços dados. No mesmo dia, as enfermeiras perguntaram à voluntária sobre sua fórmula mágica: a paciente havia começado a comer e tomar o remédio e estava nitidamente mais animada. Ainda que elas tivessem tentado ajudá-la com conselhos e estímulo, só com a interação da paciente com a voluntária ela recebeu o que verdadeiramente necessitava: ligação com outro ser humano que escutasse seu profundo desespero.

Não existem regras infalíveis para os momentos em que se deve parafrasear, mas, de modo geral, é correto presumir que as pessoas que transmitem mensagens com forte carga emocional querem que se repita o que disseram. Quando falamos, podemos facilitar as coisas para os interlocutores se mostrarmos claramente quando queremos ou não que confirmem o que nos ouviram dizer.

Repita para o interlocutor as mensagens que tenham grande carga emocional.

Há ocasiões em que se prefere não repetir as afirmações de alguém em respeito a certas normas culturais. Por exemplo, certa vez, um chinês participou de um seminário para aprender a captar os sentimentos e as necessidades contidos nas falas do pai. Por não suportar as constantes críticas e agressões do pai, ele tinha horror de visitá-lo e evitava vê-lo meses a fio.

Dez anos depois, o homem veio me ver e contou que sua capacidade de perceber sentimentos e necessidades transformara radicalmente seu relacionamento com o pai, a ponto de eles agora desfrutarem uma relação íntima e afetuosa. Embora consiga captar os sentimentos e as necessidades do pai, o filho não os repete. "Nunca digo isso em voz alta" — explicou. "Em nossa cultura, não estamos acostumados a falar diretamente com as pessoas sobre sentimentos. No entanto, graças ao fato de eu não mais ouvir como agressão o que ele diz, mas como sentimentos e necessidades dele, nossa relação se tornou maravilhosa."

Só faça paráfrases quando contribuírem para maior compaixão e entendimento.

"Então, você nunca falará diretamente com ele sobre sentimentos, mas é útil conseguir captá-los?" — perguntei.

"Não, acho que agora estou pronto" — respondeu. "Temos um relacionamento tão sólido que, se eu lhe disser 'papai, gostaria de lhe falar diretamente sobre o que estamos sentindo', acho que ele já estaria pronto para isso".

Ao parafrasearmos, nosso tom de voz é muito importante. Quando nos ouvem repetir o que disseram, as pessoas costumam ficar mais sensíveis ao menor indício de crítica ou sarcasmo. Da mesma maneira, sentem-se atingidas por um tom assertivo que insinue que lhes dizemos o que se passa dentro delas. Todavia, se atentarmos conscientemente para os sentimentos e as necessidades dos outros, nosso tom de voz indicará que tentamos saber se entendemos corretamente, e não declarando que entendemos.

Também precisamos estar preparados para a possibilidade de que a nossa intenção ao parafrasearmos a mensagem seja mal interpretada. "Não me venha com essa porcaria de psicologia!" — talvez nos digam. Se isso acontecer, podemos continuar a nos concentrar nos sentimentos e nas necessidades do interlocutor. É possível que nesse caso percebamos que ele não confia em nossa motivação e precisa entendê-las melhor antes de concordar em ouvir as paráfrases.

Atrás de falas intimidadoras há apenas pessoas pedindo que suas necessidades sejam satisfeitas.

Como vimos, todo tipo de crítica, agressão, insulto e julgamento desaparece quando nos concentramos nos sentimentos e nas necessidades por trás da mensagem. Quanto mais praticarmos isso, mais perceberemos uma verdade simples: por trás de todas as falas que deixamos intimidar-nos estão apenas indivíduos com necessidades insatisfeitas pedindo nossa contribuição para o seu bem-estar. Dotados dessa consciência quando recebemos mensagens, nunca nos sentimos aviltados pelo que os outros dizem. Somente nos sentimos assim quando nos prendemos a imagens pejorativas de outras pessoas ou pensamentos negativos a nosso respeito. Como afirmou o escritor e mitólogo Joseph

Campbell: "A opinião dos outros sobre nós deve ser deixada de lado para termos felicidade plena". Passamos a sentir essa felicidade quando mensagens que recebíamos como críticas ou culpa começam a ser vistas como as dádivas que são: oportunidades de nos entregarmos a pessoas que sofrem.

Se os interlocutores quase sempre desconfiarem de nossa motivação e sinceridade ao parafrasearmos o que disseram, deveremos examinar nossas intenções mais de perto. Talvez estejamos repetindo e utilizando os recursos da CNV de maneira mecânica, sem mantermos uma consciência clara de nosso propósito. Podemos perguntar a nós mesmos, por exemplo, se estamos mais empenhados em aplicar o processo "corretamente" do que nos ligarmos ao ser humano à nossa frente. Ou, mesmo que estejamos usando a prescrição da CNV, nosso único interesse seja mudar o comportamento da outra pessoa.

Uma mensagem difícil torna-se uma oportunidade de enriquecer uma vida.

Algumas pessoas resistem à paráfrase por considerá-la perda de tempo. Um secretário municipal de Governo explicou durante um treinamento: "Sou pago para apresentar fatos e soluções, não para sentar e fazer psicoterapia com cada um que entra em meu gabinete". Esse mesmo secretário, porém, estava sendo criticado por cidadãos indignados, que levavam a ele suas preocupações pungentes e saíam insatisfeitos por não terem sido ouvidos. Algumas dessas pessoas mais tarde me confessaram: "Quando se vai ao gabinete dele, o secretário apresenta um monte de fatos, mas nunca se sabe se escutou o que se disse antes. Quando isso acontece, a gente começa a não confiar mais nos dados que ele apresenta". A paráfrase costuma poupar tempo, não desperdiçá-lo. Estudos sobre negociações trabalhistas mostram que o tempo necessário para chegar à solução de um conflito se reduz pela

Parafrasear o que foi dito poupa tempo.

metade quando cada negociador, antes de responder, concorda em repetir precisamente o que o interlocutor anterior disse.

Lembro-me de um homem que no início não acreditava no valor da paráfrase. Ele e sua mulher participavam de uma oficina de CNV, numa época em que seu casamento passava por problemas sérios. Durante a oficina, a mulher disse ao marido: "Você nunca me escuta".

"Escuto, sim" — respondeu ele.

"Não, você não escuta."

Dirigi-me então ao marido: "Acho que você acabou de dar razão a ela. Você não respondeu de um modo que ela perceba que você escutou o que ela dizia".

Como o marido ficou intrigado com o que eu queria dizer, pedi licença para interpretar o papel dele — licença que ele deu de boa vontade, já que não estava tendo muito sucesso no diálogo. Então, a mulher e eu tivemos o seguinte diálogo:

MULHER — Você nunca me escuta.

MBR *[no papel do marido]* — Parece que você está terrivelmente frustrada porque gostaria de sentir uma ligação maior entre nós quando conversamos.

A mulher se debulhou em lágrimas quando finalmente recebeu a confirmação de que tinha sido compreendida. Virei-me para o marido e expliquei: "Acredito que seja isto que ela tem dito a você que necessita: uma reafirmação de seus sentimentos e necessidades para confirmar que ela foi ouvida". O marido pareceu pasmo. "Era isso que ela queria?" — perguntou, não acreditando que algo tão simples pudesse ter tido impacto tão grande em sua mulher.

Pouco tempo depois, ele sentiu essa satisfação na própria pele, quando a mulher lhe repetiu uma frase que ele tinha dito com grande intensidade emocional. Saboreando essa paráfrase, ele olhou para mim e declarou: "Vale a pena". É uma experiência comovente receber uma prova concreta de que alguém está ligado a nós com empatia.

MANTER A EMPATIA

Recomendo darmos aos interlocutores ampla oportunidade de expressão antes de começar a propor soluções ou solicitar ajuda. Quando avançamos rápido demais com relação ao que as pessoas nos pedem, podemos não transmitir interesse genuíno por seus sentimentos e necessidades. Ao contrário, é capaz que as pessoas tenham a impressão de que estamos com pressa de nos livrarmos delas ou de resolver seu problema. Além disso, uma mensagem inicial é muitas vezes como a ponta de um *iceberg*: pode estar acompanhada de sentimentos não manifestos mas correlatos — e, não raro, mais fortes. Mantendo a atenção concentrada no que está acontecendo dentro dos outros, damos a eles uma oportunidade de explorar e expressar plenamente seu eu interior. Interromperíamos esse fluxo se desviássemos a atenção muito depressa para seu pedido ou para a nossa vontade de expressão.

Suponha que uma mãe nos procure e diga: "Meu filho está impossível. Qualquer coisa que eu lhe diga para fazer, ele não escuta". Poderíamos confirmar o que ouvimos dos seus sentimentos e necessidades dizendo: "Parece que você está desesperada e gostaria de encontrar uma maneira de se comunicar com seu filho". Uma paráfrase como essa costuma encorajar a pessoa a olhar para dentro de si. Se verbalizássemos seu sentimento de forma apropriada, a mãe poderia abordar outros sentimentos: "Talvez seja minha culpa. Estou sempre gritando com ele". Como ouvintes, poderíamos continuar a acompanhar os sentimentos e as necessidades que estão sendo externados e dizer, por exemplo: "Você está se sentindo culpada porque gostaria de às vezes ter sido mais compreensiva com ele do que tem sido?" Se a mãe continuar a se sentir compreendida em nossas confirmações, ela poderá aproximar-se ainda mais de seus sentimentos e

Mantendo a empatia, permitimos ao interlocutor sentir características mais profundas de si mesmo.

declarar: "Sou um fracasso de mãe". Continuamos a acompanhar os sentimentos e as necessidades que vão sendo revelados: "Então, você está se sentindo desestimulada e gostaria de se relacionar com ele de um jeito diferente com ele?" Insistimos nesse método até que a pessoa tenha esgotado todos os seus sentimentos com relação a esse assunto.

A pessoa em foco recebe a empatia desejada quando (1) há um alívio na tensão ou (2) sua fala chega ao fim.

Como podemos saber que a empatia com o interlocutor teve sucesso? Em primeiro lugar, há um alívio na pessoa que percebe que o que está acontecendo dentro de si teve plena compreensão. Podemos tomar consciência desse fenômeno ao percebermos um alívio correspondente da tensão em nosso corpo. Um segundo sinal, ainda mais óbvio, é que a pessoa para de falar. Se não temos certeza de haver dedicado tempo suficiente ao processo, podemos perguntar: "Você gostaria de dizer algo mais?"

QUANDO A MÁGOA BLOQUEIA A CAPACIDADE DE SENTIR EMPATIA

É impossível dar algo a alguém se nós mesmos não o temos. Do mesmo modo, se não temos capacidade ou disposição de oferecer empatia, apesar de nos esforçarmos, isso em geral significa que estamos carentes demais de empatia para oferecê-la aos outros. Às vezes, se reconhecermos abertamente que nosso sofrimento nos impede de reagir com empatia, a outra pessoa pode aproximar-se de nós com a empatia de que precisamos.

Precisamos de empatia para dar empatia.

Em outras ocasiões, pode ser necessário conseguir alguma empatia "de primeiros socorros", prestando atenção ao que se passa conosco com a mesma presença e atenção que tivemos com os outros. Certa vez, Dag Hammarskjöld, ex-secretário-geral da Organização das Nações Unidas, disse: "Quanto mais você escutar sua voz interior com fidelidade, melhor será a sua escuta do que acontece do lado de fora". Se treinamos para sentir empatia por nós mesmos, em geral sentimos uma liberação natural de energia que, em poucos segundos, nos permite estar presentes para o outro. Se isso não acontece, porém, temos outras opções.

Podemos gritar — sem violência. Lembro-me de passar três dias fazendo mediações entre duas gangues cujos membros estavam se matando. Uma delas se chamava Egípcios Negros; a outra, Departamento de Polícia da Zona Leste de Saint Louis. O placar era de dois a um — um total de três mortos em um mês. Após três dias tensos tentando reunir esses grupos para se ouvirem e resolverem suas diferenças, fui de carro para casa pensando que nunca mais queria estar no meio de um conflito pelo resto da vida.

O que vi primeiro quando entrei pela porta dos fundos foram meus filhos engalfinhados. Eu não tinha energia para lhes dar empatia, então gritei, sem violência: "Ei, estou muito mal! Neste momento, não quero mesmo ter de me meter na briga de vocês! Só quero um pouco de paz e sossego!" Meu filho mais velho, na época com 9 anos, parou de brigar, olhou para mim e perguntou: "Você quer conversar sobre isso?"

Descobri que, se formos capazes de falar de nosso sofrimento sem máscaras e sem culpar ninguém, até outras pessoas que também estão sofrendo às vezes são capazes de atentar para as nossas necessidades. É claro que eu não queria gritar: "Qual é o problema com vocês? Vocês não sabem se comportar melhor? Acabei de chegar em casa e tive um dia difícil!" — tampouco insinuar, de modo algum, que o problema era o comportamento deles. Posso gritar sem violência chamando a atenção para as minhas necessidades e meu sofrimento urgente naquele momento.

Porém, se os interlocutores também passarem por tal intensidade de sentimentos que não consigam nem nos escutar nem nos deixar em paz, o terceiro recurso é nos retirarmos. Damos a nós mesmos um tempo e a oportunidade de conseguir a empatia necessária a fim de retornar com outro estado de espírito.

RESUMO

Empatia é a compreensão respeitosa do que os outros estão vivendo. Em vez de mostrarmos empatia, muitas vezes sentimos uma forte urgência de dar conselhos ou encorajamento e explicar nossa posição ou nossos sentimentos. Entretanto, para mostrar empatia devemos antes esvaziar a mente e escutar os outros com a totalidade de nosso ser.

Na CNV, não importam as palavras que os outros usem para se expressar; prestamos atenção apenas em suas observações, sentimentos, necessidades e pedidos. Podemos então querer reproduzir o que ouvimos, parafraseando o que compreendemos. Assim, permanecemos em empatia, permitindo que os outros tenham ampla oportunidade de se manifestar antes de voltarmos a atenção para soluções ou pedidos de ajuda.

Precisamos sentir empatia para dar empatia. Quando nos vemos na defensiva ou não conseguimos mostrar empatia, precisamos (1) parar, respirar, sentir empatia por nós mesmos; (2) gritar sem violência, ou (3) fazer um intervalo.

 CNV EM AÇÃO

Mulher conecta-se com marido agonizante

Um paciente acabou de receber o diagnóstico de estado adiantado de câncer no pulmão. Da situação a seguir, em sua casa, participam o paciente, sua mulher e uma enfermeira, e representa a última oportunidade para que ele se ligue emocionalmente à sua mulher e discuta sua morte antes de ser internado no hospital. A mulher começa a conversa com a enfermeira, reclamando sobre a fisioterapeuta que fazia parte da equipe de atendimento doméstico designada para cuidar de seu marido.

MULHER   Ela é uma fisioterapeuta ruim.
ENFERMEIRA [*escutando com empatia o que a mulher está sentindo e desejando*] Você está incomodada e quer ter

	uma qualidade diferente no atendimento ao seu marido?
MULHER	Ela não faz nada. Ela o fez parar de andar quando o pulso dele acelerou.
ENFERMEIRA	*[continuando a escutar os sentimentos e os desejos da mulher]* Será porque você quer que seu marido melhore e tem medo de que ele não se fortaleça se a fisioterapeuta não incentivá-lo?
MULHER	*[começando a chorar]* Sim, estou com tanto medo!
ENFERMEIRA	Você está com medo de perdê-lo?
MULHER	Sim, estivemos juntos por tanto tempo...
ENFERMEIRA	*[tentando captar outros sentimentos por trás do medo]* Sua preocupação é como você se sentirá se ele morrer?
MULHER	Eu não consigo nem imaginar como vou viver sem ele. Ele sempre esteve ao meu lado, à minha disposição. Sempre.
ENFERMEIRA	Então você fica triste quando pensa em viver sem ele?
MULHER	Para mim, não existe mais ninguém senão ele. Sabe, ele é tudo que eu tenho. Minha filha nem fala comigo.
ENFERMEIRA	Parece que, quando pensa na sua filha, você se sente frustrada porque gostaria de ter tido um relacionamento diferente com ela.
MULHER	Gostaria mesmo, mas ela é muito egoísta. Nem sei por que me dei ao trabalho de ter filhos. De que me adianta isso agora?
ENFERMEIRA	Está me parecendo que você pode estar com um pouco de raiva e decepcionada porque gostaria de receber mais apoio da família durante a doença de seu marido.
MULHER	Sim, ele está muito doente. Não sei como vou conseguir sobreviver a isso sozinha. Não tenho ninguém...

	nem mesmo para conversar, a não ser você... agora. Nem mesmo ele fala sobre isso. Olhe para ele! *[O marido continua quieto, impassível.]* Ele não diz nada!
ENFERMEIRA	Você está triste, desejando que vocês dois pudessem apoiar um ao outro e sentir-se mais ligados?
MULHER	Sim. *[Ela faz uma pausa e, depois, um pedido.]* Converse com ele do jeito que você conversa comigo.
ENFERMEIRA	*[querendo compreender com precisão a necessidade por trás do pedido da mulher]* Você quer que ele seja escutado de uma maneira que o ajude a expressar o que está sentindo?
MULHER	Sim, é exatamente isso! Quero que ele se sinta à vontade para falar e eu quero saber o que ele está sentindo.

Usando o palpite da enfermeira, a mulher conseguiu primeiro tomar consciência do que queria e depois encontrar as palavras para revelá-lo. Trata-se de um momento fundamental: muitas vezes é difícil para as pessoas identificar o que elas querem em certa situação, embora possam saber o que não querem. Vemos aí como um pedido claro — "converse com ele do jeito que você conversa comigo" — é um presente que dá à outra pessoa condições de ajudar. A enfermeira agora podia agir de uma maneira que ela sabia ser condizente com os desejos da mulher. Isso altera o clima do quarto, pois a enfermeira e a mulher agora "trabalham juntas", e ambas com compaixão.

ENFERMEIRA	*[virando-se para o marido]* Como você se sente quando ouve o que sua mulher me disse?
MARIDO	Eu realmente a amo.
ENFERMEIRA	Está contente de ter uma oportunidade de conversar com ela sobre isso?
MARIDO	Sim, precisamos conversar sobre isso.
ENFERMEIRA	Você estaria disposto a dizer como se sente a respeito do câncer?
MARIDO	*[após um breve silêncio]* Não muito bem.

As palavras bem e mal costumam ser usadas para descrever sentimentos quando as pessoas ainda não conseguiram identificar a emoção que estão sentindo. A expressão mais precisa de seus sentimentos ajudaria o marido a estabelecer a ligação emocional que ele está buscando com sua mulher.

ENFERMEIRA *[encorajando-o a tentar ser mais preciso]* Você tem medo de morrer?

MARIDO Não, não é medo. *[Perceba que o palpite incorreto da enfermeira não atrapalha a continuidade do diálogo.]*

ENFERMEIRA *[como esse paciente não consegue verbalizar suas experiências internas com facilidade, a enfermeira continua a lhe dar apoio para continuar]* Você sente raiva de morrer?

MARIDO Não, raiva não.

ENFERMEIRA *[nesse ponto, depois de dois palpites incorretos, ela decide expressar os próprios sentimentos]* Bem, agora estou curiosa quanto ao que você pode estar sentindo e estou aqui pesando se você poderia me contar.

MARIDO Creio que estou pensando em como ela vai se cuidar sem mim.

ENFERMEIRA Ah, você se preocupa com a dificuldade que ela possa ter de viver bem sem você?

MARIDO Sim, a minha preocupação é que ela sinta a minha falta.

ENFERMEIRA *[ciente de que os pacientes terminais muitas vezes se agarram à vida por preocupação com aqueles que estão deixando para trás e, assim, às vezes precisam de uma garantia de que seus entes queridos conseguem aceitar sua morte antes de eles mesmos se permitirem ir embora]* Você gostaria de ouvir como sua mulher se sente quando você diz isso?

MARIDO Sim.

Nesse ponto, a mulher se junta à conversa. Ainda na presença da enfermeira, os dois começam a conversar abertamente um ao outro. Nesse diálogo, a mulher começa com uma reclamação sobre a fisioterapeuta. Porém, depois de um diálogo em que se sente recebida com empatia, ela consegue concluir que o que realmente busca é uma ligação mais profunda com o marido durante esse momento crítico da vida.

 Exercício 5

RECEPÇÃO EMPÁTICA *VERSUS* RECEPÇÃO SEM EMPATIA

Para ver se concordamos a respeito da expressão verbal da empatia, circule o número à frente de cada frase abaixo em que a pessoa B responde com empatia ao que acontece com a pessoa A.

1. PESSOA A Como eu pude fazer algo tão idiota?
   PESSOA B Ninguém é perfeito. Você está se exigindo demais.
2. PESSOA A Se você me perguntasse, eu diria que devíamos mandar todos esses imigrantes de volta pro lugar de onde vieram.
   PESSOA B Você realmente acha que resolveria alguma coisa?
3. PESSOA A Você não é Deus!
   PESSOA B Você está se sentindo frustrado porque gostaria que eu reconhecesse que há outras maneiras de interpretar esse assunto?
4. PESSOA A Você acha muito natural que eu faça tudo para você. Fico imaginando o que você faria sem mim.
   PESSOA B Isso não é verdade! Eu valorizo você.
5. PESSOA A Como você pôde me dizer uma coisa dessas?
   PESSOA B Você está magoado porque eu disse aquilo?
6. PESSOA A Estou furiosa com meu marido. Ele nunca está por perto quando preciso dele.
   PESSOA B Você acha que ele deveria estar mais próximo do que costuma estar?

| COMUNICAÇÃO NÃO VIOLENTA |

7. PESSOA A Detesto quando engordo.
   PESSOA B Talvez fazer umas corridas ajude.
8. PESSOA A Estou uma pilha de nervos com o planejamento do casamento de minha filha. A família do noivo não está ajudando. Quase todos os dias eles mudam de ideia sobre que tipo de casamento querem.
   PESSOA B Então você está nervosa com os preparativos e gostaria que a família do futuro genro tivesse mais consciência das complicações que a indecisão deles causa em você?
9. PESSOA A Quando meus parentes aparecem sem avisar com antecedência, sinto-me invadida. Isso me lembra que meus pais costumavam não considerar minhas necessidades e planejavam as coisas para mim.
   PESSOA B Sei como você se sente. Eu costumava me sentir assim também.
10. PESSOA A Estou decepcionado com seu desempenho. Eu queria que seu departamento tivesse dobrado a produção no mês passado.
    PESSOA B Compreendo que você esteja decepcionado, mas tivemos muitas faltas por doença.

Aqui estão minhas respostas ao exercício 5.
1. Não circulei esse número, porque entendo que a pessoa B dá encorajamento e não recebe com empatia o que a pessoa A está expressando.
2. Considero que a pessoa B tenta dirigir a pessoa A, em vez de receber com empatia o ela está dizendo.
3. Se você circulou esse número, concordamos. Entendo que a pessoa B recebe com empatia o que a pessoa A declara.
4. Concluo que a pessoa B discorda e se defende, sem receber com empatia o que está acontecendo com a pessoa A.
5. Acredito que a pessoa B assume a responsabilidade pelos sentimentos da pessoa A e não recebe com empatia o que está ocorrendo

com ela. Um exemplo de resposta com empatia poderia ser: "Você está magoado porque queria que eu tivesse concordado em fazer o que você me pediu?"
6. Se você circulou esse número, concordamos em parte. Vejo a pessoa B receptiva aos pensamentos da pessoa A. No entanto, creio que nos conectamos mais profundamente quando recebemos os sentimentos e as necessidades expressos em vez dos pensamentos. Assim, eu teria preferido que a pessoa B tivesse dito: "Então você está furiosa porque gostaria que ele estivesse por perto mais vezes do que costuma estar?"
7. Entendo que a pessoa B aconselha a pessoa A, sem acolher com empatia o que se passa com ela.
8. Se você circundou esse número, estamos de acordo. Considero que a pessoa B recebe com empatia o que a pessoa A diz.
9. Não circulei esse número porque acredito que a pessoa B presumiu que compreendeu o que a pessoa A disse e fala de seus sentimentos, sem receber com empatia o que está acontecendo com a pessoa A.
10. Não circulei este número porque percebo que a pessoa B começa a se concentrar nos sentimentos da pessoa A, mas em seguida passa a se explicar.

8 O *poder da empatia*

EMPATIA QUE CURA

Carl Rogers descreveu o impacto da empatia em quem a recebe: "Quando [...] alguém realmente o escuta sem julgá-lo, sem tentar assumir a responsabilidade por você, sem tentar moldá-lo, a sensação é ótima! [...] Quando sinto que me dão atenção e quando me ouvem, consigo reformular a percepção do meu mundo de uma maneira nova e seguir em frente. Quando se é escutado, é espantoso como coisas que parecem insolúveis se tornam solúveis, como confusões que parecem irremediáveis viram riachos relativamente claros".

A empatia nos permite "perceber o mundo de uma maneira nova e ir em frente".

Uma de minhas histórias favoritas sobre empatia foi contada pela diretora de uma escola de vanguarda. Ela voltava do almoço e encontrou Milly, aluna do ensino fundamental, sentada em seu escritório com cara de arrasada, esperando-a. A diretora se sentou ao lado de Milly, que disse: "Sra. Anderson, já teve uma semana em que tudo que a senhora faz magoa alguém, mas nunca quis magoar ninguém de forma nenhuma?" "Sim" — respondeu a diretora. "Acho que compreendo." Então, Milly passou a contar sua semana.

"Não faça nada..."

A diretora prosseguiu seu relato: "Eu já estava um pouco atrasada para uma reunião muito importante, ainda estava de casaco e aflita para não deixar uma sala cheia de gente à minha espera. Então, perguntei: 'Milly, em que posso ajudá-la?' Milly se aproximou, pôs as duas mãos nos meus ombros, olhou-me bem nos olhos e disse com muita firmeza: 'Sra. Anderson, não quero que a senhora *faça* nada; só quero que me escute'.

"Aquele foi um dos momentos de aprendizado mais significativos de minha vida — e ensinado por uma criança —, e por isso pensei: 'Não importa a sala cheia de adultos esperando por mim!' Milly e eu passamos para um banco que nos dava mais privacidade e nos sentamos, com meu braço ao redor de seus ombros, sua cabeça em meu peito, e seu braço em volta de minha cintura, e falou até estar satisfeita. E sabe de uma coisa? Não demorou tanto tempo assim."

Um dos aspectos mais gratificantes de meu trabalho é ouvir como as pessoas usaram a CNV para fortalecer sua capacidade de se ligar aos outros com empatia. Minha amiga Laurence, que mora na Suíça, contou que ficou muito aborrecida porque seu filho de 6 anos saiu correndo enraivecido enquanto ela ainda falava com ele. Isabelle, sua filha de 10 anos, que a acompanhara numa oficina recente de CNV, observou: "Você está brava mesmo, mamãe. Você queria que ele conversasse quando está com raiva, e não que fosse embora correndo". Laurence ficou maravilhada porque, ao ouvir as palavras de Isabelle, sentiu uma diminuição imediata da tensão e depois, quando o filho voltou, conseguiu ser mais compreensiva com ele.

Um professor de faculdade contou que o relacionamento entre alunos e professores mudou quando vários membros do corpo docente aprenderam a ouvir com empatia e a se expressar de forma mais vulnerável e sincera. "Os estudantes se abriram cada vez mais e nos contaram a respeito de vários problemas pessoais que interferiam em seus estudos. Quanto mais falavam sobre isso, mais trabalhos eles conseguiam terminar. Embora escutá-los dessa forma nos tomasse um bocado de tempo, ficamos contentes em gastá-lo dessa maneira. Infelizmente, o diretor se aborreceu

— disse que não éramos terapeutas e deveríamos passar mais tempo ensinando e menos tempo conversando com os alunos."

Perguntei ao professor como os docentes haviam lidado com isso, e ele respondeu: "Compreendemos a preocupação do diretor. Percebemos que

É mais difícil sentir empatia por quem parece ter mais poder, *status* ou recursos.

ele ficou aborrecido e queria ter certeza de que não nos envolvêssemos em coisas que não poderíamos resolver. Também percebemos que ele precisava de uma garantia de que o tempo gasto nas conversas não estava tirando tempo de nossas responsabilidades com o ensino. Ele pareceu aliviado com o modo como o escutamos. Continuamos a conversar com os estudantes porque pudemos ver que, quanto mais os escutávamos, melhor eles iam nos estudos".

Quando se trabalha numa instituição com hierarquia, tende-se a ouvir ordens e críticas dos que estão acima de nós. Embora seja fácil ter empatia pelos colegas e por aqueles com menos poder, podemos surpreender-nos na defensiva ou nos justificando em vez de termos empatia pelos que identificamos como nossos "superiores". Foi por isso que fiquei particularmente satisfeito ao saber que aqueles professores tinham se lembrado de estabelecer um vínculo de empatia tanto com o diretor quanto com os alunos.

EMPATIA E A CAPACIDADE DE SER VULNERÁVEL

Por ser preciso revelar os próprios pensamentos e necessidades mais profundas, às vezes pode-se achar desafiador expressar-se na CNV. Entretanto, essa comunicação fica mais fácil depois de mostrarmos empatia pelos outros, porque então teremos tocado sua natureza humana e percebido as qualidades que compartilhamos. Quanto mais nos ligamos aos sentimentos e às necessidades ocultas nas palavras das outras pessoas, torna-se menos assustador nos abrirmos para elas. Somos mais relutantes em manifestar vulnerabilidade na situações em que desejamos manter uma "imagem de durões", por medo de perdermos a autoridade ou o controle.

Quanto maior a empatia por outra pessoa, mais seguros nos sentimos.

Certa vez mostrei minha vulnerabilidade a alguns membros de uma gangue de rua de Cleveland [Ohio, EUA] quando reconheci a mágoa que estava sentindo e meu desejo de ser tratado com mais respeito. "Ei, vejam" — observou um deles — "ele está magoado; coitadinho!" Então todos os colegas riram em coro. Aí, outra vez, eu poderia interpretá-los como se estivessem se aproveitando de minha vulnerabilidade (opção 2: culpar os outros) ou mostrar empatia pelos sentimentos e necessidades deles por trás de seu comportamento (opção 4: captar os sentimentos e as necessidades dos outros).

Se, no entanto, minha imagem é de que estou sendo humilhado e se aproveitam de mim, posso me sentir ferido, irritado ou amedrontado demais para ter condições de mostrar empatia. Num momento desses, eu precisaria sair dali para oferecer alguma empatia a mim mesmo ou obtê-la de uma pessoa confiável. Depois de descobrir as necessidades que haviam sido despertadas em mim de modo tão intenso e tendo sido acolhido com empatia, eu estaria então pronto para retornar e mostrar minha empatia pelo outro lado. Em situações de sofrimento, recomendo primeiro obter a empatia necessária para ir além dos pensamentos que nos ocupam a cabeça, de modo que nossas necessidades mais profundas sejam reconhecidas.

Quando escutei atentamente a observação do membro da gangue — "ei, vejam, ele está magoado; coitadinho!" — e as risadas a seguir, senti que ele e os amigos estavam contrariados e não queriam ser submetidos a manipulações e culpa. Podiam estar reagindo a pessoas que usaram frases como "isso me magoou" para demonstrar desaprovação. Já que não confirmei essa possibilidade com eles em voz alta, eu não tinha como saber se meu palpite estava de fato correto. Entretanto, bastou-me concentrar a atenção para que eu não levasse aquilo como ofensa ou ficasse com raiva. Em vez de julgá-los por me ridicularizarem ou me tratarem desrespeitosamente, concentrei-me em escutar o sofrimento e as necessidades por trás daquele comportamento.

"Ei" — disparou um deles —, "o que você está dizendo para nós é um monte de bobagem! Suponha que aqui estivessem membros de outra gangue e eles estivessem armados e você não. E você diz para simplesmente ficarmos parados e *conversarmos* com eles? Bobagem!"

Então, todos começaram a rir de novo, e mais uma vez eu dirigi minha atenção aos sentimentos e às necessidades deles: "Então parece que vocês estão realmente cheios de aprender coisas que não têm nenhuma relevância nessas situações?"

"É, e se você morasse neste bairro *saberia* que isso é um monte de bobagem."

"Então vocês precisam ter certeza de que alguém que lhes ensine alguma coisa tenha conhecimento do seu bairro?"

"Certíssimo. Alguns daqueles caras detonariam você antes que conseguisse soltar duas palavras!"

"E vocês precisam ter certeza de que alguém que tenta lhes ensinar algo tenha noção dos perigos que existem aqui?" Continuei a escutá-los dessa maneira, às vezes verbalizando o que eu ouvira, às vezes não. A situação continuou por 45 minutos e, então, percebi uma mudança: eles sentiram que eu os estava realmente compreendendo. Um conselheiro do programa notou a mudança e perguntou a eles em voz alta: "O que vocês acham deste homem?" O rapaz que me causara mais dificuldades respondeu: "Ele é o melhor palestrante que já tivemos".

Espantado, o conselheiro virou-se para mim e sussurrou: "Mas você não disse nada!"
Na verdade, eu dissera muita coisa ao demonstrar que não havia nada que eles empur-

Nós "dizemos muito" quando escutamos os sentimentos e as necessidades dos outros.

rassem para mim que não pudesse ser traduzido em necessidades e sentimentos universais.

EMPATIA PARA NEUTRALIZAR O PERIGO

A capacidade de mostrar empatia pelas pessoas em situações tensas pode afastar o risco potencial de violência.

Uma professora no decadente centro urbano de Saint Louis [Missouri, EUA] relatou um incidente de quando ela ficou deliberadamente depois da aula para ajudar um aluno, embora os outros professores a tivessem alertado para ir embora do prédio no final das aulas por segurança. Um estranho entrou em sua sala, onde aconteceu o seguinte diálogo:

RAPAZ	Tire a roupa!
PROFESSORA	*[notando que ele tremia]* Estou percebendo que isso é muito assustador para você.
RAPAZ	Você me ouviu? Porra, tire a roupa!
PROFESSORA	Sinto que você está bem irritado neste momento e quer que eu faça o que você me diz.
RAPAZ	Isso mesmo, e você vai se machucar se não fizer.
PROFESSORA	Gostaria que você me dissesse se há alguma outra maneira de atender às suas necessidades que não me machuque.
RAPAZ	Eu mandei tirar a roupa!
PROFESSORA	Já percebi que você quer muito isso. Ao mesmo tempo, quero que você saiba que estou me sentindo péssima e assustada e ficaria grata se você fosse embora sem me machucar.
RAPAZ	Me dê sua bolsa.

A professora deu a bolsa ao estranho, aliviada por não ser estuprada. Mais tarde ela descreveu como, a cada vez que mostrava empatia pelo rapaz, conseguia senti-lo menos determinado a tentar o estupro.

Um policial metropolitano que participava certa vez de um curso de acompanhamento em CNV fez o relato a seguir.

> *Estou muito feliz que da última vez você nos fez praticar a empatia com pessoas irritadas. Alguns dias depois daquela aula, fui prender um indivíduo num conjunto habitacional. Quando eu o trouxe para fora, meu carro foi cercado por cerca de 60 pessoas gritando para mim coisas como: "Solte-o! Ele não fez nada! Vocês da polícia são um bando de racistas!" Embora estivesse cético de que a empatia ajudasse, eu não tinha outras opções. Então, refleti sobre os sentimentos que vinham a mim e disse coisas como: "Então vocês não confiam nos meus motivos para prender este homem? Acham que isso tem relação com a raça?" Depois de vários minutos refletindo os sentimentos deles, o grupo ficou menos hostil. No final, eles abriram caminho para que eu chegasse até meu carro.*

Por fim, eu gostaria de ilustrar como uma moça usou de empatia para evitar a violência durante seu plantão noturno numa clínica de desintoxicação de drogas em Toronto. Ela contou essa história durante a segunda oficina de CNV a que compareceu. Uma noite, às 11 horas, algumas semanas depois do primeiro treinamento dela em CNV, um homem que obviamente tomara drogas entrou e exigiu um quarto. A moça começou a explicar que todos os quartos estavam ocupados naquela noite. Ela estava para dar ao homem o endereço de outra clínica de desintoxicação quando ele a derrubou no chão. "Quando dei por mim, ele estava sentado sobre o meu peito, encostando uma faca junto da minha garganta e gritando: 'Sua puta, não minta para mim! Você tem um quarto, sim!'"

Ela então começou a aplicar o que tinha aprendido, captando os sentimentos e as necessidades do homem.

"Você se lembrou de fazer isso naquelas condições?" — perguntei, impressionado.

"Que escolha eu tinha? O desespero às vezes nos torna bons comunicadores! Sabe, Marshall, aquela recomendação que você nos fez na oficina realmente me ajudou. Na verdade, acho que salvou minha vida."

"Que recomendação?"

"Você se recorda de quando disse que nunca deveríamos dizer *mas* a uma pessoa com raiva? Eu estava pronta para começar a discutir com ele e dizer: '*Mas* eu não tenho quarto!' Aí me lembrei de sua recomendação. Eu realmente a gravei porque, na semana anterior, eu tinha discutido com minha mãe e ela me disse: 'Cada vez que você responde *mas* a tudo que eu digo, tenho vontade de matar você!' Imagine, se minha própria mãe ficava com raiva a ponto de querer me matar por dizer aquela palavra, o que aquele homem teria feito? Se eu tivesse dito a ele 'mas eu não tenho quarto!' quando ele gritava comigo, não tenho dúvida de que ele teria cortado meu pescoço. Então, em vez disso, respirei fundo e disse: 'Parece que você está realmente com raiva e quer um quarto'. Ele respondeu gritando: 'Posso ser viciado, mas, por Deus, mereço respeito! Estou cansado de ninguém me respeitar. Meus pais não me respeitam. Vou conseguir respeito!' Concentrei-me nos pensamentos e nas necessidades dele e disse: 'Você está cansado de não obter o respeito que deseja?'"

Mostre empatia em vez de dizer 'mas' a uma pessoa com raiva.

"Quanto tempo mais durou essa conversa?" — perguntei.

"Ah, mais uns 35 minutos" — ela respondeu.

"Deve ter sido apavorante."

"Não, não depois dos primeiros diálogos, porque aí ficou evidente outra coisa que aprendemos aqui. Quando me concentrei em escutar os sentimentos e as necessidades dele, parei de vê-lo como um monstro. Exatamente como você disse, pude confirmar que as pessoas que parecem ser monstros são apenas seres humanos cuja linguagem e comportamento às vezes nos impedem de perceber sua humanidade. Quanto mais eu conseguia concentrar a atenção nos sentimentos e nas necessidades dele, mais eu o via como uma pessoa desesperada cujas necessidades não eram atendidas. Tornei-me confiante de que, mantendo a atenção nisso, eu não seria ferida. Depois que ele sentia a empatia de que precisava, saiu de cima de mim, pôs de lado a faca e eu o ajudei a encontrar um quarto em outra clínica."

Quando atentamos para os sentimentos e as necessidades dos outros, não os vemos mais como monstros.

Maravilhado por ela ter aprendido a responder com empatia em situação tão crítica, perguntei, curioso: "O que você está fazendo aqui de novo? Parece que você já dominou a CNV e deveria ensinar aos outros o que aprendeu".

"É que agora preciso que você me ajude numa coisa difícil" — disse ela.

"Estou quase com medo de perguntar. O que poderia ser mais difícil do que aquilo?"

"Preciso que você me ajude com minha mãe. Apesar de toda a nova percepção que tive com aquele fenômeno do *mas*, sabe o que aconteceu? No jantar da noite seguinte, quando contei à minha mãe o que tinha acontecido com aquele homem, ela disse: 'Você vai fazer seu pai e eu termos um infarto se ficar nesse emprego. Sem mais nem menos, você precisa

Pode ser difícil ter empatia por quem está mais próximo de nós.

encontrar outro trabalho!' Então, adivinhe o que eu respondi? '*Mas*, mãe, é minha vida!'"

Eu não teria conseguido pedir um exemplo mais forte de quanto pode ser difícil responder com empatia aos membros da própria família!

EMPATIA AO OUVIR UM NÃO

Por causa da tendência humana para entender como rejeição um *não* ou *não quero* de alguém, é importante conseguir mostrar empatia por essas mensagens. Se as tomarmos como afronta, talvez nos sintamos magoados sem entender o que realmente está ocorrendo com o interlocutor. Todavia, quando lançamos a luz da consciência sobre os sentimentos e as necessidades por trás do *não* de outra pessoa, passamos a ter clareza do que ela quer que a impede de responder da maneira como gostaríamos.

A empatia pelo não de alguém não nos deixa entendê-lo como afronta.

Em determinada ocasião, durante o intervalo de uma oficina, convidei uma mulher a se juntar a mim e outros participantes para tomarmos um sorvete nas redondezas. "Não!" — respondeu ela bruscamente. Seu tom de voz me levou a interpretar a resposta como rejeição, até que me lembrei de atentar para os sentimentos e as necessidades que ela poderia querer sugerir com o *não*. Eu disse: "Tenho a impressão de que você está com raiva. É isso mesmo?"

"Não" — respondeu ela. "É só que eu não quero ser corrigida toda vez que abro a boca."

Pensei então que ela estivesse com medo, não com raiva. Confirmei isso perguntando: "Você está receosa e quer se proteger de situações em que possa ser julgada pelo modo de se comunicar?"

"Sim" — afirmou ela. "Posso me imaginar sentada com vocês na sorveteria e você prestando atenção em tudo que eu digo."

Descobri então que a maneira como eu dera retorno aos participantes da oficina tinha sido assustadora para ela. Minha empatia por sua mensagem tornou seu *não* inofensivo para mim: escutei seu desejo de não querer receber esse tipo de retorno em público. Garanti-lhe que não avaliaria sua comunicação em público e depois discuti com ela maneiras de dar meu retorno a fim de deixá-la segura. E, sim, ela acompanhou o grupo para tomar o sorvete.

EMPATIA PARA REANIMAR UMA CONVERSA CHATA

Todos já nos vimos numa conversa chata. Podemos estar num evento social e ouvir o que se diz sem sentir ligação alguma com quem fala. Ou talvez estejamos dando ouvidos a um *babble-on-ian*[1], termo jocoso criado por meu amigo para designar alguém que desperta em seus ouvintes o medo de uma conversa interminável. A vitalidade da conversa se esvai quando perdemos o vínculo com os sentimentos e as necessidades que geraram as palavras de quem fala e com as solicitações relativas a essas necessidades. Isso é comum quando as pessoas conversam sem ter consciência do que sentem, necessitam ou pedem. Em vez de nos envolvermos numa troca de energia vital com outros seres humanos, percebemos que nos tornamos cestas de lixo de palavras.

Como e quando interromper uma conversa chata e reanimá-la? Sugiro que o melhor momento é quando ouvimos uma palavra a mais do que desejaríamos. Quanto mais esperamos, mais difícil fica ser educado ao decidirmos intervir. Nossa intenção ao interromper não é dominar a conversa, mas ajudar quem fala a se ligar à energia vital por trás das palavras que são ditas.

Para reanimar uma conversa, interrompa-a com empatia.

Fazemos isso sintonizando com os possíveis sentimentos e necessidades. Assim, se uma tia está repetindo a história de como 20 anos atrás o marido a abandonou com dois filhos pequenos,

---

[1] N. t.: Com o verbo preposicionado *babble on* (tagarelar, sem deixar que os ouvintes entrem na conversa), Bryson criou o substantivo *babble-on-ian*, palavra cujo som remete em inglês a *Babylonian*, que significa "babilônico".

podemos interromper dizendo: "Então, tia, parece que a senhora ainda está magoada e gostaria de ter sido tratada de modo mais justo". As pessoas não têm consciência de que frequentemente é de empatia que elas precisam. Também não percebem que é mais provável que recebam essa empatia se expressarem os sentimentos e as necessidades que estão vivos dentro delas do que ao recontar histórias de injustiças e dificuldades antigas.

Outro modo de trazer uma conversa de volta à vida é declarar abertamente o desejo de nos ligarmos mais profundamente ao nosso interlocutor e pedir informações que nos ajudem a estabelecer essa ligação. Uma vez, num coquetel, eu estava em meio a um abundante fluxo de palavras que para mim, contudo, pareciam sem vida. "Desculpem-me" — interrompi, dirigindo-me ao grupo de outras nove pessoas com o qual eu me encontrava. "Estou ficando impaciente porque quero me ligar mais a vocês, mas nossa conversa não está criando o tipo de vínculo que eu desejaria. Eu gostaria de saber se esta conversa atende às suas necessidades e, em caso afirmativo, quais dessas necessidades estão sendo atendidas."

Todas as nove pessoas ficaram olhando para mim como se eu tivesse atirado um rato no ponche. Felizmente, lembrei-me de escutar os sentimentos e as necessidades manifestos em seu silêncio. "Vocês estão incomodados com minha interrupção porque teriam preferido continuar a conversa?" — perguntei.

O que entedia quem ouve também entedia quem fala.

Depois de outro silêncio, um dos homens respondeu: "Não, não estou incomodado. Eu estava pensando no que você perguntou. Não, eu não estava gostando da conversa. Na verdade, estava bastante entediado com ela".

Na época, fiquei surpreso ao ouvir essa resposta, porque aquele homem era quem mais falava! Agora não estou mais surpreso: descobri que conversas que são desinteressantes para quem ouve são também desinteressantes para quem fala.

Talvez você esteja tentando imaginar como reunir coragem para interromper alguém tão diretamente no meio de uma frase. Uma vez realizei uma pesquisa informal com a seguinte pergunta: "Se você está usando mais palavras do que alguém quer ouvir, você prefere que essa pessoa finja estar escutando ou o interrompa?" Das muitas pessoas a quem perguntei isso, quase todas manifestaram a preferência por ser interrompidas. Suas respostas me deram coragem por me convencerem de que é um sinal de maior consideração interromper as pessoas do que fingir escutá-las. Todos queremos que nossas palavras enriqueçam os outros, não que sejam um fardo para eles.

As pessoas preferem que os ouvintes as interrompam a fingirem estar escutando.

EMPATIA PELO SILÊNCIO

Uma das mensagens mais difíceis de sentir empatia é o silêncio. Isso é verdadeiro principalmente quando nos mostramos vulneráveis e precisamos saber como os outros estão reagindo ao que dizemos. Nessas ocasiões, é fácil projetarmos o maior dos medos na falta de resposta e nos esquecermos de atentar para os sentimentos e as necessidades expressos por meio do silêncio.

Uma vez, quando trabalhava com a equipe de uma companhia, eu falava sobre alguma coisa profundamente emocionante e comecei a chorar. Quando levantei os olhos, recebi uma resposta do diretor da empresa que não me foi fácil receber: silêncio. Ele virou o rosto para longe de mim, o que interpretei como um gesto de desaprovação. Felizmente, lembrei-me de concentrar a atenção no que poderia estar acontecendo dentro dele e disse: "Por sua resposta a meu choro imagino que o senhor o desaprova e preferiria ter um consultor para sua equipe que controlasse melhor os sentimentos".

Tenha empatia pelo silêncio captando os sentimentos e as necessidades ocultas.

Se ele respondesse sim, eu seria capaz de reconhecer que tínhamos valores diferentes no que diz respeito a revelar emoções, sem com isso pensar que estava errado de alguma forma por ter expressado minhas emoções como fiz. Mas, em vez de "sim", o diretor respondeu: "Não, de jeito nenhum. Eu estava apenas pensando que minha mulher gostaria que eu conseguisse chorar". Prosseguiu e revelou que sua mulher, que estava se divorciando dele, sempre reclamara que viver com ele era como viver com uma pedra.

Durante os anos em que trabalhei como psicoterapeuta, fui contatado pelos pais de uma jovem de 20 anos que estava sob cuidados psiquiátricos. Por vários meses ela fora submetida a medicamentos, internações e eletrochoques. Ficara muda três meses antes de os pais terem me procurado. Quando a trouxeram ao meu consultório, ela teve de ser ajudada porque, se fosse deixada por si mesma, não se mexeria.

Em meu consultório, ela se encolheu na cadeira, tremendo, com os olhos para o chão. Tentando me ligar com empatia aos sentimentos e às necessidades insinuados por sua mensagem não verbal, eu disse: "Percebo que você está assustada e gostaria de ter certeza de que é seguro falar. Isso está correto?"

Como ela não demonstrou reação, expressei meus sentimentos, dizendo: "Estou muito preocupado com você e gostaria que me dissesse se há alguma coisa que eu possa dizer ou fazer para que você se sinta mais segura". Nenhuma reação. Pelos 40 minutos seguintes, continuei a reproduzir seus sentimentos e necessidades ou a expressar os meus. Não houve reação visível, nem mesmo o menor sinal de percepção de que eu tentava me comunicar com ela. Por fim, disse-lhe que estava cansado e gostaria que ela voltasse no dia seguinte.

Os dias seguintes foram iguais ao primeiro. Continuei a concentrar a atenção nos sentimentos e nas necessidades dela, às vezes interpretando verbalmente o que eu entendia e outras fazendo isso em silêncio. De vez em quando, eu revelava o que se passava comigo mesmo. Ela ficava tremendo na cadeira, sem dizer nada.

No quarto dia, quando ela ainda não havia respondido, aproximei-me e segurei sua mão. Sem saber se minhas palavras transmitiam a minha preocupação, eu tive esperança de que o contato físico pudesse fazer isso com mais eficácia. Ao primeiro contato, seus músculos ficaram tensos, e ela se encolheu mais ainda na cadeira. Eu estava para soltar a mão dela quando senti que ela estava cedendo ligeiramente; então, continuei segurando-a. Depois de alguns instantes, percebi um progressivo relaxamento na moça. Continuei a segurar a mão dela por vários minutos e ao mesmo tempo conversei com ela da mesma maneira que eu tinha feito nos dias anteriores. Ela ainda não disse nada.

Quando chegou no dia seguinte, ela pareceu ainda mais tensa do que antes, com uma diferença: ela estendeu uma das mãos fechada em minha direção e virou o rosto para longe de mim. Primeiro fiquei confuso com o gesto, mas depois percebi que ela tinha alguma coisa na mão que queria que eu pegasse. Pegando sua mão na minha, abri-lhe os dedos. Na palma da mão estava um bilhete amarrotado com a seguinte mensagem: "Por favor, ajude-me a dizer o que tenho por dentro".

Fiquei extasiado ao receber aquela indicação de seu desejo de se comunicar. Depois de mais uma hora de encorajamento, ela finalmente disse a primeira frase, devagar e com medo. Quando lhe repeti o que a ouvira dizer, ela pareceu aliviada e então continuou a falar, lenta e receosamente. Um ano depois, ela me mandou uma cópia dos seguintes trechos de seu diário:

> *Saí do hospital, para longe dos eletrochoques e dos remédios fortes. Isso foi mais ou menos em abril. Os três meses depois disso estão inteiramente apagados da minha mente, assim como os três anos e meio antes de abril.*

> *Dizem que, depois de ter saído do hospital, passei um tempo em casa sem comer, sem falar e querendo ficar na cama o tempo todo. Então me encaminharam ao dr. Rosenberg para terapia. Não me lembro muito dos dois ou três meses seguintes, a não ser estar no consultório do dr. Rosenberg e conversar com ele.*
>
> *Eu tinha começado a "acordar" desde aquela primeira sessão com ele. Eu tinha começado a compartilhar com ele coisas que me incomodavam, coisas que eu nunca teria sonhado contar a ninguém. E me lembro de quanto aquilo significou para mim. Era tão difícil falar! Mas o dr. Rosenberg se importava comigo e demonstrava isso, e eu queria conversar com ele. Depois das sessões, eu sempre ficava contente de ter botado alguma coisa para fora. Lembro-me de ter contado os dias e mesmo as horas até minha sessão seguinte com ele.*
>
> *Também aprendi que encarar a realidade não é de todo mau. Percebo cada vez mais as coisas que preciso enfrentar, coisas que preciso pôr para fora e fazer por mim mesma.*
>
> *Isso é assustador. E é muito difícil. E é muito desanimador que, mesmo que eu tente me empenhar, ainda fracasse tanto. Mas a parte boa da realidade é que tenho visto que ela também conta com coisas maravilhosas.*
>
> *Aprendi no ano passado que pode ser maravilhoso compartilhar minha vida com outras pessoas. Acho que na verdade só aprendi um pouco de como é maravilhoso falar com as pessoas e elas realmente escutarem — e às vezes até compreenderem de verdade.*

Continuo a me espantar com o poder de cura da empatia. Tenho testemunhado diversas vezes que as pessoas transcendem os efeitos paralisantes da dor psicológica quando têm contato suficiente com alguém que as escute com empatia. Como ouvintes, não precisamos ter percepção sobre a dinâmica psicológica nem treinamento em psicoterapia. O que é essencial é nossa capacidade de estarmos presentes ao que realmente ocorre dentro da outra pessoa — em relação aos sentimentos e necessidades únicos que uma pessoa está vivendo naquele mesmo instante.

A empatia encontra-se na capacidade de estar presente.

RESUMO

Nossa capacidade de demonstrar empatia pode permitir que continuemos vulneráveis, desarmemos situações de violência potencial, ajudemos a ouvir a palavra *não* sem entendê-la como rejeição, reanimemos uma conversa sem graça e até percebamos os sentimentos e as necessidades expressos no silêncio. Costuma-se vencer os efeitos paralisantes da dor psicológica quando se tem contato suficiente com alguém que ouça com empatia.

9 A ligação compassiva com nós mesmos

> Que nós sejamos a mudança
> que buscamos no mundo.
>
> MAHATMA GANDHI

Já vimos que a CNV contribui para os relacionamentos com amigos e com a família, no trabalho e na política. Sua aplicação mais decisiva, porém, talvez seja na maneira de tratarmos a nós mesmos. Quando somos violentos por dentro com nós mesmos, é difícil ter uma compaixão verdadeira pelos outros.

LEMBRAR COMO SOMOS ESPECIAIS

Na peça *A thousand clowns* [*Mil palhaços*], de Herb Gardner, o protagonista recusa-se a entregar o sobrinho de 12 anos aos agentes do serviço de crianças deficientes, declarando: "Quero que ele saiba que é superespecial, senão ele não perceberá quando isso começar a desaparecer. Quero que ele permaneça ciente [...]. Quero ter certeza de que ele verá todas as possibilidades mais loucas. Quero que ele saiba que vale a pena passar por tudo só para dar ao mundo um pequeno pontapé quando se tem oportunidade. E quero que ele saiba a razão sutil, fugaz e importante de ele ter nascido humano e não uma cadeira".

Talvez a maior utilidade da CNV seja o aprimoramento da autocompaixão.

Estou preocupado ao extremo com o fato de que muitos de nós perderam a consciência do que é ser especial. Esquecemos a "razão sutil, fugaz e importante" que o tio queria tão apaixonadamente que o sobrinho soubesse. Quando conceitos críticos a nosso respeito impedem-nos de ver a beleza que temos por dentro, perdemos a ligação com a energia divina que é nossa origem. Condicionados a nos vermos como objetos — e objetos cheios de falhas —, seria de surpreender que muitos acabem tendo uma relação violenta consigo mesmos?

A CNV serve para nos autoavaliarmos e crescermos, não para nos odiarmos.

Uma área importante em que tal violência pode ser substituída pela compaixão é a autoavaliação que fazemos a todo momento. Como desejamos que todos os nossos atos levem ao enriquecimento da vida, é fundamental saber avaliar os eventos e as condições de um modo que nos ajude a aprender e fazer escolhas que nos sirvam. Infelizmente, a maneira como fomos ensinados a nos avaliar quase sempre produz mais ódio por nós mesmos do que aprendizado.

AUTOAVALIAÇÃO QUANDO NÃO FOMOS PERFEITOS

Numa atividade rotineira em minhas oficinas, peço aos participantes que se lembrem de uma ocasião recente em que fizeram algo que gostariam de não ter feito. Em seguida, observamos como eles falaram consigo mesmos imediatamente depois de terem cometido o que chamamos de "erro" na linguagem comum. Algumas frases comuns são: "Que burrice!" "Como pude fazer uma coisa tão idiota?" "O que eu tenho de errado?" "Estou sempre pisando na bola!" "Isso foi tão egoísta!"

Ensinaram essas pessoas a fazer uma autocrítica que classifica sua atitude de errada ou ruim. A autorrecriminação pressupõe implicitamente que as pessoas merecem sofrer pelo que fizeram. É trágico ficarmos enredados no ódio por nós mesmos, em vez de nos beneficiarmos dos erros, que mostram nossas limitações e nos conduzem ao crescimento.

Mesmo que às vezes "aprendamos uma lição" com os erros pelos quais nos julgamos com tanta severidade, minha preocupação é o caráter da energia por trás daquele tipo de mudança e de aprendizado. Gostaria que o estímulo da mudança fosse o claro desejo de melhorar a própria vida e a dos outros, em vez de energias destrutivas como vergonha ou culpa.

Se o modo como nos avaliamos nos faz sentir vergonha e, em consequência, mudar de comportamento, permitimos que nosso crescimento e nosso aprendizado sejam dirigidos pelo ódio próprio. A vergonha é uma forma de ódio por si mesmo, e as atitudes tomadas em reação à vergonha não são livres nem cheias de alegria. Mesmo que a intenção seja a de nos comportarmos com mais afabilidade e sensibilidade, se os interlocutores sentirem a vergonha ou a culpa por trás do que fazemos será menos provável sua aprovação do que se formos motivados apenas pelo desejo humano de contribuir para a vida.

Existe em nosso vocabulário uma palavra com enorme poder de envergonhar e dar culpa. Essa palavra violenta, comum nas autocríticas, está tão arraigada na consciência que muitos sentiriam dificuldade de imaginar-se sem ela. É a palavra *deveria*, usada em frases como em "eu deveria ter previsto" ou "eu deveria ter feito aquilo". Na maioria das vezes em que

Evite dizer "eu deveria"!

usamos essa palavra, resistimos ao aprendizado, pois *deveria* implica não haver opção. Ao ouvirem qualquer exigência, as pessoas tendem a resistir a ela, por entenderem ser uma ameaça à autonomia — nossa forte necessidade de escolha. Temos essa reação à tirania mesmo que se trate de tirania interior, na forma de um *deveria*.

Uma expressão semelhante de exigência interior ocorre na seguinte autoavaliação: "O que estou fazendo é simplesmente horrível. Tenho de dar um jeito nisso!" Pense por um momento em todas as pessoas que você já ouviu dizer: "Tenho de parar de fumar". Ou: "Tenho de fazer alguma coisa para me exercitar mais". Elas vivem dizendo o que "devem" fazer e vivem resistindo a fazê-lo, porque o propósito dos seres humanos não é ser escravos. Não fomos feitos para sucumbir às ordens do *deveria* e do *tenho de*, venham elas de fora ou de dentro de nós. E, se cedemos e nos submetemos a essas ordens, nossas atitudes se originam de uma energia destituída da alegria de viver.

TRADUZIR AUTOCRÍTICAS E EXIGÊNCIAS INTERNAS

Quando nos comunicamos continuamente com nós mesmos por meio de críticas, acusações e exigências internas, não surpreende que nossa autoimagem corresponda ao sentimento de que somos mais parecidos com uma cadeira do que com um ser humano. Uma premissa da CNV é que, ao julgarmos que alguém está errado ou agindo mal, o que realmente dizemos é que essa pessoa não se harmoniza com nossas necessidades. Se por acaso julgamos a nós mesmos, o que dizemos é: "Eu mesmo não estou harmonizado com minhas necessidades". Convenci-me de que é mais provável aprendermos algo se passarmos a nos avaliar em razão do atendimento ou não de nossas necessidades e em que grau.

As autocríticas, como todos os julgamentos, são expressões lamentáveis de necessidades não satisfeitas.

Assim, quando fazemos algo pouco enaltecedor, nosso desafio é nos autoavaliarmos a cada momento, de modo que nos inspiremos a mudar (1) na direção em que gostaríamos de ir e (2) por respeito e compaixão com nós mesmos, em vez de por ódio, culpa ou vergonha.

LUTO NA CNV

Depois de uma vida inteira de educação formal e convívio social, talvez seja tarde demais para a maioria treinar a mente a pensar só no que necessitamos e valorizamos a cada momento.

Porém, assim como aprendemos a traduzir críticas quando conversamos com os outros, podemos aprender a reconhecer quando o diálogo interno baseia-se em julgamentos e mudar o foco da atenção para nossas necessidades intrínsecas.

Por exemplo, se nos pegamos recriminando algo que fizemos ("Veja só, estraguei tudo de novo!"), podemos parar rapidamente e questionar-nos: "Que necessidade minha não atendida se manifesta nesse julgamento moral?" Quando de fato nos ligamos a essa necessidade — e pode haver várias camadas de necessidades —, percebemos uma notável mudança no corpo. Em vez da vergonha, culpa ou depressão que talvez sintamos quando nos criticamos por "estragar tudo de novo", perceberemos um número variado de sentimentos. Seja tristeza, frustração, decepção, medo, angústia, seja qualquer outro sentimento, a natureza nos dotou deles com uma finalidade: mobilizar-nos para agir, buscando e realizando o que necessitamos ou valorizamos. O impacto desses sentimentos no espírito e no corpo é substancialmente diferente do desligamento causado por culpa, vergonha e depressão.

> **O luto na CNV: ligar-nos a sentimentos e necessidades não satisfeitas gerados por atitudes de que nos arrependemos.**

Na CNV, o processo de luto ajuda a ter uma ligação plena com as necessidades não satisfeitas e com os sentimentos gerados quando não se atinge a perfeição. É uma experiência de arrependimento, mas um arrependimento que ajuda a aprender com o que fizemos, sem culpa nem ódio. Vemos que nosso comportamento foi contrário aos próprios valores e necessidades, e nos abrimos a sentimentos que provêm dessa consciência. Quando a consciência enfoca o que necessitamos de fato, somos naturalmente impelidos a agir em busca de possibilidades mais criativas para atender à necessidade. Ao contrário, os juízos morais que usamos ao nos culparmos tendem a ocultar as possibilidades e perpetuar um estado de autopunição.

PERDÃO A SI MESMO

Passamos do processo de luto para o do perdão a nós mesmos. Voltando a atenção àquela nossa parte que preferiu agir daquela maneira, ocasionando a situação atual, nós nos questionamos: "Quando me comportei daquela maneira de que me arrependo agora, qual das minhas necessidades eu tentava atender?" Acredito que os seres humanos sempre agem de acordo com necessidades e valores. Isso vale mesmo que o ato atenda ou não atenda à necessidade e mesmo que acabemos comemorando o ato ou nos arrependamos dele.

Quando atentamos para nós mesmos com empatia, conseguimos também atentar para as necessidades inerentes. O perdão a nós mesmos ocorre no momento em que ocorre essa ligação empática. Então, somos capazes de reconhecer que nossa escolha foi uma tentativa de servir à vida, ainda que o processo de luto tenha mostrado que ela não atendeu às nossas necessidades.

Perdão a nós mesmos na CNV: ligar-nos à necessidade a que tentávamos atender quando tomamos a atitude de que nos arrependemos agora.

Um aspecto importante da autocompaixão é sermos capazes de ter empatia pelos dois lados de nós mesmos: o que se arrepende de uma ação e o que executou aquela ação. Os processos de luto e perdão a nós mesmos nos libertam no sentido do aprendizado e do crescimento. Ligando-nos a cada momento às nossas necessidades, aumentamos nossa capacidade criativa de agirmos em harmonia com elas.

A LIÇÃO DO TERNO DE BOLINHAS

Eu gostaria de ilustrar o processo de luto e perdão a nós mesmos lembrando um acontecimento pessoal. No dia anterior a uma importante oficina, comprei um terno leve cinza-claro para usar no evento. No final da concorrida oficina, um enxame de participantes me abordou pedindo meu endereço, autógrafo ou outras informações. Com a aproximação do horário de outro compromisso, apressei-me para atender às solicitações dos participantes, assinando e rabiscando em muitos pedaços de papel empurrados à minha frente. Enquanto saía correndo pela porta, enfiei minha caneta — sem a tampa — no bolso de meu terno novo. Lá fora, descobri com um susto que, em vez do lindo terno cinza-claro, eu agora tinha um terno de bolinhas!

Durante 20 minutos fui agressivo comigo mesmo: "Como pude ser tão descuidado? Que coisa mais burra que eu fiz!" Eu acabara de estragar um terno novinho. Se alguma vez eu precisei de compaixão e compreensão, foi naquele momento. No entanto, lá estava eu respondendo a mim mesmo de uma maneira que me fazia sentir pior do que nunca.

Felizmente, depois de apenas 20 minutos, percebi o que estava fazendo. Parei, procurei ver qual necessidade minha não fora atendida quando botei a caneta sem tampa no bolso e me perguntei: "Qual necessidade está por trás de eu me julgar 'descuidado' e 'burro'?"

Vi imediatamente que era a necessidade de cuidar melhor de mim mesmo: ter dado mais atenção às minhas necessidades enquanto eu corria para atender às necessidades dos outros. Assim que toquei esse lado de mim mesmo e me liguei ao desejo profundo de ser mais consciente e cuidadoso com minhas necessidades, meus sentimentos mudaram. Senti uma liberação de tensão no corpo à medida que se dissipavam a raiva, a vergonha e a culpa que eu tinha em relação a mim mesmo. Fiz meu luto pelo terno estragado e a caneta sem tampa enquanto me abria para sentimentos de tristeza que agora apareciam junto com a vontade de cuidar melhor de mim.

Em seguida, voltei a atenção para a necessidade a que eu atendia quando pus no bolso a caneta sem tampa. Reconheci quanto eu valorizara o cuidado com as necessidades das outras pessoas e a consideração por elas. É claro que, ao cuidar tão bem das necessidades dos outros, eu não demonstrara respeito equivalente por mim. Porém, em vez de me culpar, senti uma onda de compaixão por mim mesmo, à medida que percebia que até minha pressa e o ato de guardar a caneta sem pensar se originavam do fato de eu atender à minha necessidade de responder aos outros com atenção.

Temos compaixão por nós quando abraçamos todos os nossos lados e reconhecemos as necessidades e os valores expressos por cada um deles.

Nessa situação de compaixão, consigo abraçar ambas as necessidades: de um lado, a de responder com atenção às necessidades dos outros e, de outro, a de ter mais consciência sobre mim e cuidado comigo. Estando consciente de ambas as necessidades, consigo imaginar modos diferentes de me comportar em situações similares e chegar a soluções com mais habilidade do que perdendo a consciência num mar de autocríticas.

NÃO FAÇA NADA QUE NÃO DÊ PRAZER!

Além do processo de luto e perdão a nós mesmos, um aspecto da autocompaixão que costumo enfatizar é a energia por trás de qualquer ação que realizamos. Quando aconselho "não faça nada que não dê prazer", alguns acham que sou radical ou até louco. Entretanto, acredito sinceramente que uma forma importante de autocompaixão é fazer escolhas motivadas apenas pelo desejo de contribuir para a vida, em vez de fazê-lo por medo, culpa, vergonha, dever ou obrigação. Quando temos consciência do propósito de enriquecer a vida com uma atitude que tomamos, quando a única energia que nos motiva é meramente tornar a vida maravilhosa para nós e para os outros, então até o trabalho árduo contém um elemento de prazer. Por outro lado, uma atividade que seria prazerosa deixa de sê-lo se for feita por obrigação, dever, medo, culpa ou vergonha, e acabará gerando resistência.

Queremos agir motivados pelo desejo de contribuir para a vida, e não por medo, culpa, vergonha ou obrigação.

No Capítulo 2, consideramos substituir uma linguagem que implica falta de alternativa por outra que contemple a possibilidade de escolha. Muitos anos atrás, comecei uma atividade que aumentou significativamente a quantidade de prazer e alegria em minha vida, ao mesmo tempo que diminuía a depressão, a culpa e a vergonha. Apresento-a aqui como um instrumento passível de aprofundar a autocompaixão e ajudar-nos a levar a vida com atividades prazerosas, desde que mantenhamos a clara consciência da necessidade de enriquecer a vida inerente a tudo que fazemos.

TROCAR "TENHO DE" POR "PREFIRO"

Primeiro passo

O que você faz na vida que não lhe dá prazer? Escreva num pedaço de papel todas as coisas que você diz que tem de fazer — qualquer atividade que você deteste mas faz assim mesmo, porque acha não ter opção.

Quando revisei minha lista pela primeira vez, só de ver como ela era longa percebi o motivo de eu gastar tanto tempo sem aproveitar a vida. Notei quantas coisas eu fazia num dia comum me convencendo a acreditar que tinha de fazê-las.

O primeiro tópico da lista era "escrever laudos clínicos". Eu detestava fazer aqueles laudos, mas passava pelo menos uma hora de agonia fazendo-os todos os dias. Meu segundo tópico foi "levar as crianças de carro à escola no meu dia do rodízio da carona".

Segundo passo

Depois de completar a lista, reconheça claramente para si mesmo que você está fazendo essas coisas porque preferiu fazê-las, não porque é obrigado a fazê-las. Coloque a palavra *prefiro* na frente de cada tópico que você listou.

Lembro-me de minha resistência a esse passo. "Escrever laudos clínicos" — insisti comigo mesmo — "não é uma coisa que eu prefira fazer! Eu tenho de fazê-los. Sou psicólogo clínico. Tenho de escrever esses laudos".

Terceiro passo

Depois de ter reconhecido que você optou por fazer determinada atividade, sinta a intenção por trás da preferência completando a frase: "Prefiro ⎯⎯ porque quero ⎯⎯".

Inicialmente, penei para identificar o que eu queria quando escrevia meus laudos. Vários meses antes, eu já havia concluído que os laudos não eram assim tão úteis para meus pacientes a ponto de justificar o tempo que eles, os laudos, me tomavam. Então, por que eu continuava a empregar tanta energia em sua elaboração? Acabei percebendo que optava por escrever os laudos unicamente porque queria a renda que me davam. Desde que reconheci isso, nunca mais escrevi um laudo. Não consigo descrever a minha felicidade só de pensar em quantos laudos clínicos deixei de escrever desde aquele momento, 35 anos atrás! Quando percebi que o dinheiro era minha motivação primeira, imediatamente percebi que poderia encontrar outras maneiras de cuidar de mim mesmo no quesito financeiro, e que de fato eu preferiria procurar comida em latas de lixo a escrever outro laudo clínico.

O próximo item de minha lista de tarefas desagradáveis era levar as crianças de carro à escola. Porém, quando examinei o motivo por trás daquela tarefa, dei mais valor aos benefícios que meus filhos obtinham por frequentar aquela escola. Eles poderiam facilmente caminhar até a escola do bairro, mas a escola onde eles estudavam se harmonizava muito melhor com meus princípios educacionais. Continuei a levar as crianças para a escola, mas com uma energia diferente: em vez de "ai, não, hoje é meu dia no rodízio de carona para a escola", eu estava consciente de meu propósito, que era dar a meus filhos uma educação de qualidade, o que era muito importante para mim. É claro que às vezes, enquanto

A cada escolha que fizer, esteja consciente de a que necessidade ela atende.

dirigia, eu precisava me lembrar duas ou três vezes de concentrar a mente no propósito ao qual minha ação estava servindo.

CONSCIENTIZAR-SE DA ENERGIA POR TRÁS DAS ATITUDES

Ao explorar a frase "Prefiro _____ porque quero _____", você pode descobrir, como aconteceu comigo no rodízio da carona das crianças, que existem valores importantes por trás das escolhas que você fez. Estou convencido de que, depois de termos clareza a respeito da necessidade a que nossas atitudes atendem, podemos classificá-las de prazerosas, mesmo que envolvam trabalho duro, desafios ou frustrações.

Porém, com relação a alguns tópicos de sua lista, você pode descobrir uma ou mais das motivações a seguir.

1. Por dinheiro

O dinheiro é uma das principais formas de compensação extrínseca em nossa sociedade. As escolhas motivadas por um desejo de compensação acabam custando caro: elas nos privam da alegria de viver derivada das atitudes que se fundamentam na clara intenção de contribuir para uma necessidade humana. O dinheiro não é uma "necessidade" tal como a definimos na CNV; é uma das inúmeras estratégias que podem ser selecionadas para atender a uma necessidade.

2. Por aprovação

Assim como o dinheiro, a aprovação dos outros é uma forma de compensação extrínseca. Nossa cultura nos educou para termos fome de compensação. Frequentamos escolas que utilizavam meios extrínsecos para nos motivar a estudar; crescemos em lares onde éramos compensados por sermos bons meninos e meninas e punidos quando os responsáveis julgavam que não tínhamos sido bons. Assim, na vida adulta, facilmente nos convencemos a acreditar que a vida consiste em fazer coisas em troca de compensações. Estamos viciados em ganhar sorrisos, tapinhas nas costas e ouvir julgamentos verbais de que somos "boas pessoas", "bons pais", "bons cidadãos", "bons trabalhadores", "bons amigos" etc. Fazemos coisas para que as pessoas gostem de nós e evitamos coisas que possam levá-las a não gostar de nós ou nos punir.

Acho trágico que trabalhemos tão duro para comprar amor e presumamos que devemos anular-nos e fazer coisas para os outros a fim de que gostem de nós. Na verdade, quando fazemos as coisas puramente com o espírito de melhorar a vida é que vemos os outros nos enaltecerem. Esse enaltecimento, porém, não passa de um mecanismo de *feedback* que confirma que nosso esforço teve o efeito desejado. O reconhecimento de que decidimos usar nossa capacidade para servir à vida e o fizemos com sucesso nos dá a verdadeira alegria de comemorar a nós mesmos de uma maneira que a aprovação dos outros nunca poderá nos oferecer.

3. Para evitar uma punição

Alguns de nós pagam imposto de renda principalmente para evitar punição. Por isso, é provável que abordemos esse ritual anual com certo grau de amargura. Contudo, eu me lembro de que, em minha infância, meu pai e meu avô pensavam de modo diferente a respeito do pagamento de impostos. Eles haviam emigrado da Rússia para os Estados Unidos e tinham vontade de apoiar um governo que eles acreditavam estar protegendo a população de uma maneira que o czar não fizera. Imaginando as muitas pessoas cujo bem-estar era garantido pelo dinheiro de seus impostos, eles sentiam um prazer sincero ao enviar seu cheque para o governo americano.

4. Para evitar a vergonha

Pode haver algumas tarefas que preferimos fazer apenas para evitar a vergonha. Sabemos que, se não as fizermos, acabaremos sofrendo uma crítica severa e escutaremos nossa voz dizer que há algo errado ou de ignorante conosco. Se fazemos alguma coisa estimulados somente pelo anseio de evitar a vergonha, em geral acabamos detestando-a.

5. Para evitar a culpa

Em outras ocasiões, podemos pensar: "Se eu não fizer isso, vão ficar decepcionados comigo". Temos medo de sentir culpa por deixarmos de satisfazer as expectativas dos outros em relação a nós. Existe uma grande distância entre fazer algo pelos outros para evitar a culpa e fazê-lo por causa de uma clara consciência de nossa necessidade de contribuir para a felicidade de outros seres humanos.

> **Conscientize-se das atitudes motivadas por desejo de dinheiro, aprovação dos outros e medo, vergonha ou culpa. Saiba que elas têm um preço.**

A primeira alternativa representa um mundo cheio de infelicidade; a segunda, um mundo cheio de prazer.

6. Por dever

Quando usamos uma linguagem que nega a possibilidade de escolha — por exemplo, termos e expressões como *deveria, tenho de, devo, preciso, não posso, esperam que eu faça* etc. —, nosso comportamento provém de uma vaga sensação de culpa, dever ou obrigação. Considero essa rejeição da escolha o comportamento mais perigoso, do ponto de vista social, e mais infeliz, da perspectiva individual, de todos os comportamentos a que recorremos quando afastados das próprias necessidades.

> **Talvez o comportamento mais perigoso seja fazer as coisas "porque devemos".**

No Capítulo 2, vimos que o conceito da *Amtssprache* permitiu a Adolf Eichmann e seus colegas encaminhar dezenas de milhares de pessoas para a morte sem que se abalassem emocionalmente ou se sentissem responsáveis. Quando usamos uma linguagem que rejeita a possibilidade de escolha, renunciamos à vida em nós mesmos por uma mentalidade robótica que nos separa de nossa essência.

É provável que você, depois de examinar a lista de tópicos que criou, decida parar de fazer certas coisas, com o mesmo espírito que preferi deixar de lado os laudos clínicos. Pode parecer radical, mas é possível fazer as coisas somente por prazer. Acredito que, à medida que nos engajamos paulatinamente no prazer de enriquecer a vida — motivados somente pelo desejo de enriquecê-la —, acabamos tendo compaixão por nós mesmos.

RESUMO

A utilização mais crucial da CNV talvez esteja no modo como nos tratamos. Quando cometemos erros, podemos utilizar o processo de luto e perdão da CNV para mostrar onde podemos crescer, em vez de nos enredarmos em juízos morais a nosso respeito. Ao avaliarmos o comportamento pessoal tendo em vista as próprias necessidades não atendidas, o ímpeto para a mudança surge não da vergonha, da culpa, da raiva ou da depressão, mas de nosso desejo genuíno de contribuir para o bem-estar próprio e o dos outros.

Também cultivamos a autocompaixão ao preferirmos conscientemente no cotidiano agir apenas a serviço dos próprios valores e necessidades, em vez de por obrigação, por compensações externas ou para afastar a culpa, a vergonha e a punição. Se revirmos as ações não prazerosas às quais costumamos sujeitar-nos e substituirmos "tenho de fazer" por "prefiro fazer", descobriremos mais prazer e integridade na vida.

10 Expressar a raiva plenamente

O tema da raiva propicia uma oportunidade única de mergulhar mais fundo na CNV. Pelo fato de submeter muitos aspectos desse processo a um exame minucioso, a expressão da raiva mostra com clareza a diferença entre a CNV e outras formas de comunicação.

Quero dizer que bater nos outros fisicamente, culpá-los e magoá-los emocionalmente são manifestações externas do que acontece dentro de nós quando sentimos raiva. Se estivermos mesmo com raiva, recorreremos a uma maneira muito mais intensa de expressão.

Magoar, culpar ou bater são manifestações da raiva interior.

Essa ideia é um alívio para muitos grupos oprimidos e discriminados com os quais trabalho, que desejam aumentar seu poder de provocar mudanças. Grupos como esses ficam inquietos quando ouvem o termo *comunicação não violenta* ou *compassiva*, porque muitas vezes foram forçados a sufocar a raiva, acalmar-se e aceitar o *statu quo*. Preocupam-se com abordagens que definem a raiva como um traço indesejável que precisa ser expurgado. Entretanto, o processo que estamos descrevendo não encoraja a ignorar, sufocar ou engolir a raiva, mas sim expressar a essência da raiva plenamente e com todo o coração.

DISTINÇÃO ENTRE ESTÍMULO E CAUSA

O primeiro passo para expressar plenamente a raiva na CNV é dissociar a outra pessoa de qualquer responsabilidade por nossa raiva. Livramo-nos de pensamentos como "essa pessoa me deixou com raiva quando fez aquilo". Esse tipo de pensamento nos leva a expressar a raiva superficialmente, culpando ou punindo a outra pessoa. Vimos antes que o comportamento dos outros pode ser o estímulo dos nossos sentimentos, mas não a causa. Nunca ficamos com raiva por causa do que outra pessoa fez. Podemos identificar o comportamento da outra pessoa como estímulo, mas é importante estabelecermos uma distinção clara entre estímulo e causa.

A causa da nossa raiva nunca é o que os outros dizem ou fazem.

Eu gostaria de ilustrar essa distinção com um exemplo de meu trabalho numa prisão sueca. Minha tarefa era mostrar a prisioneiros que se comportaram de modo violento como expressar plenamente a raiva em vez de matar, espancar ou estuprar outras pessoas. Durante um exercício que lhes pedia que identificassem o estímulo de sua raiva, um prisioneiro escreveu: "Três semanas atrás, fiz um pedido às autoridades da prisão e elas ainda não responderam". Sua frase foi uma clara observação de um estímulo, descrevendo o que outras pessoas fizeram.

Então pedi a ele que identificasse a causa de sua raiva: "Quando isso aconteceu, você ficou com raiva por causa *do quê?*"

"Acabei de dizer!" — exclamou ele. "Fiquei com raiva porque eles não responderam ao meu pedido!" Ao igualar estímulo e causa, ele se convencera a pensar que o comportamento das autoridades da prisão o fizera sentir raiva. Esse é um hábito fácil de adquirir em culturas que usam a culpa para controlar as pessoas. Nelas, torna-se importante enganar as pessoas para que pensem que podemos *fazê-las* sentir-se de determinada maneira.

Quando a culpa é uma tática de manipulação e coação, a mistura de estímulo e causa passa a ser útil. Como mencionei antes, a criança que ouve que "mamãe e papai ficam tristes quando você tira notas ruins" é levada a acreditar

Para motivar pela culpa, misture estímulo e causa.

que seu comportamento é a causa do sofrimento dos pais. Observa-se a mesma dinâmica entre parceiros íntimos: "Você me decepciona quando não vem ao meu aniversário". A linguagem facilita o uso dessa tática indutora de culpa.

Dizemos: "Você me dá raiva"; "Você me magoa fazendo isso"; "Estou triste porque você fez aquilo". Usamos a linguagem de maneiras diversas para nos iludirmos com a crença de que nossos sentimentos resultam do que os outros fazem. O primeiro passo para a plena expressão da raiva é perceber que o que as outras pessoas fazem nunca é a causa de como nos sentimos.

Então, qual é a causa da raiva? No Capítulo 5, falamos das quatro opções que temos quando estamos diante de uma mensagem ou um comportamento de que não gostamos. A raiva é gerada quando escolhemos a segunda opção: sempre que estamos com raiva, culpamos alguém — preferimos brincar de Deus julgando ou culpando outra pessoa por estar errada ou merecer punição. Defendo a ideia de que essa é a causa da raiva. Mesmo que de início não tenhamos tal consciência, a causa da raiva encontra-se em nosso pensamento.

A causa da raiva está no pensamento, em ideias de culpa e julgamento.

A terceira opção descrita no Capítulo 5 é fazer brilhar a luz da consciência sobre nossos sentimentos e necessidades. Em vez de usarmos o raciocínio para analisar mentalmente o que alguém fez de errado, optamos por nos ligarmos à vida que está dentro de nós. Essa energia vital é mais palpável e acessível quando nos concentramos no que necessitamos a cada momento.

Por exemplo, se uma pessoa chega atrasada a um compromisso comigo e eu preciso reforçar que ela se importa comigo, posso me sentir magoado. Se, em vez disso, minha necessidade é passar o tempo de modo proveitoso e construtivo, talvez eu sinta frustração. Mas, por outro lado, se eu preciso mesmo é de meia hora de tranquilidade, posso me sentir grato pelo atraso da pessoa e me sentir satisfeito com isso. Assim, não é o comportamento das outras pessoas e sim nossas necessidades que causam nossos sentimentos. Quando estamos conectados com nossa necessidade, seja ela de confirmação, de ter um propósito útil ou de solidão, estamos em contato com nossa energia vital. Podemos ter sentimentos fortes, mas nunca estamos com raiva. A raiva resulta de pensamentos nocivos à vida dissociados das necessidades. Ela indica que acionamos a cabeça para analisar e julgar alguém, em vez de nos concentrarmos para saber quais de nossas necessidades não estão sendo atendidas.

Além dessa terceira opção, de nos concentrarmos em nossos sentimentos e necessidades, podemos a qualquer momento iluminar com a luz da consciência os sentimentos e as necessidades da outra pessoa. Quando escolhemos essa quarta opção, também nunca sentimos raiva. Não estamos reprimindo-a; vemos que a raiva simplesmente está ausente de cada momento em que estamos presentes por inteiro aos sentimentos e às necessidades da outra pessoa.

TODA RAIVA TEM UM FUNDO BENÉFICO

"Mas" — você me perguntará — "não há circunstâncias em que a raiva é justificável? Não é que devemos sentir uma 'indignação ética' ante a poluição negligente e impensada do ambiente, por exemplo?" Minha resposta é que acredito firmemente que, se eu apoiar em qualquer grau a consciência de que *existem* coisas como "ações negligentes", "ações conscientes", "pessoas gananciosas" ou "pessoas éticas", estarei contribuindo para a violência neste planeta. Em vez de concordarmos ou discordarmos a respeito do que *são* as pessoas que matam, estupram pessoas ou poluem o ambiente, creio que contribuiremos mais para a vida se atentarmos para as nossas necessidades.

Quando julgamos os outros, contribuímos para a violência.

Considero que toda raiva resulta de um pensamento alienado que provoca violência. No âmago de toda raiva há uma necessidade não satisfeita. Assim, a raiva pode ser valiosa se a utilizarmos como um toque de despertador para nos acordar — para percebermos que temos uma necessidade que não está sendo atendida e que pensamos de tal maneira que se torna improvável que ela venha a ser atendida. Para expressarmos plenamente a raiva, precisamos ter plena consciência dessa nossa necessidade. Além disso, é preciso ter energia para fazer que essa necessidade seja atendida. A raiva, porém, rouba energia quando a usamos para punir as pessoas, em vez de dirigi-la para atender a nossas necessidades. Recomendo que, em lugar de sentirmos "indignação ética", sintamos empatia por nossas necessidades ou pelas dos outros. Isso pode exigir muita prática, em que substituímos conscientemente a frase "estou com raiva porque eles [...]" por "estou com raiva *porque preciso de* [...]".

Use a raiva como se fosse um despertador.

Certa vez, quando eu trabalhava com alunos de um reformatório infantil em Wisconsin me ensinaram uma lição notável. Em dois dias seguidos, atingiram meu nariz de modo bastante parecido. Da primeira vez, levei uma forte cotovelada quando intercedi numa briga entre dois alunos. Fiquei tão furioso que tive de me controlar para não revidar o golpe. (Nas ruas de Detroit, onde cresci, era preciso bem menos do que uma cotovelada no nariz para me deixar furioso.) No segundo dia, enfrentei situação semelhante: fui atingido no mesmo nariz — portanto, senti mais dor, mas nem uma pontinha de raiva!

A raiva rouba energia se a dirigimos para ações punitivas.

Naquela noite, ao refletir profundamente sobre essa experiência, reconheci que eu havia rotulado o primeiro menino de "moleque mimado". Aquela imagem estava em minha cabeça antes mesmo de o cotovelo dele ter atingido meu nariz e, quando isso aconteceu, já não era mais apenas um cotovelo atingindo meu nariz, era: "Aquele moleque asqueroso não podia fazer isso!" Fiz outro juízo do segundo menino: vi-o como um "pobre infeliz".

Já que eu tinha uma propensão a me preocupar com essa criança, embora meu nariz estivesse mais machucado e sangrando muito mais no segundo dia, não senti raiva alguma. Eu não poderia ter recebido lição mais contundente que me ajudasse a ver que minha raiva não veio do que a outra pessoa fez, mas das imagens e das interpretações da minha cabeça.

ESTÍMULO *VERSUS* CAUSA: IMPLICAÇÕES PRÁTICAS

Enfatizo a distinção entre causa e estímulo por motivos práticos e táticos, além de filosóficos. Gostaria de ilustrar esse ponto voltando a meu diálogo com John, o prisioneiro sueco:

JOHN	Três semanas atrás, fiz uma solicitação às autoridades da prisão e elas ainda não responderam a meu pedido.
MBR	Então, quando isso aconteceu, você ficou com raiva por causa *de quê*?
JOHN	Acabei de dizer! Eles não responderam ao meu pedido!
MBR	Espere aí. Em vez de dizer "estou com raiva porque *eles*...", pare e tome consciência do que você está dizendo a si mesmo que lhe dá tanta raiva.
JOHN	Não estou dizendo nada a mim mesmo.
MBR	Pare; vá devagar; apenas atente para o que está acontecendo dentro de você.
JOHN	*[depois de refletir em silêncio]* Estou dizendo a mim mesmo que eles não têm respeito pelos seres humanos. São um bando de burocratas frios e sem alma que não dão a mínima para ninguém, a não ser eles mesmos! São um verdadeiro bando de...
MBR	Obrigado, já basta. Agora você sabe por que está com raiva — é esse tipo de pensamento.
JOHN	Mas o que há de errado em pensar dessa maneira?
MBR	Não estou dizendo que há algo errado em pensar dessa maneira. Note que, se eu disser que há algo errado com

| COMUNICAÇÃO NÃO VIOLENTA |

você por pensar dessa maneira, estarei pensando da mesma maneira a *seu* respeito. Eu não disse que é *errado* julgar as pessoas, chamá-las de "burocratas sem alma" ou de rotular as atitudes deles de irrefletidas ou egoístas. Entretanto, é esse tipo de pensamento de sua parte que faz você sentir muita raiva. Concentre a atenção em suas necessidades. Quais são elas, nessa situação?

JOHN [depois de um longo silêncio] Marshall, eu preciso do curso que estou pedindo. Se eu não o fizer, com tanta certeza quanto a de que estou aqui agora, vou acabar voltando para esta prisão assim que sair.

Ao nos conscientizarmos de nossas necessidades, a raiva dá lugar a sentimentos benéficos.

MBR Agora que sua atenção está em suas necessidades, como você se sente?

JOHN Com medo.

MBR Agora, coloque-se no lugar de uma autoridade da prisão. Se eu for um prisioneiro, é mais provável que consiga atender às minhas necessidades se eu lhe disser: "Olha, eu preciso mesmo desse curso e tenho medo do que vai acontecer comigo se eu não conseguir fazê-lo" ou se eu o abordar vendo em você um burocrata impessoal? Mesmo que eu não diga essas palavras em voz alta, meu olhar revelará esse tipo de pensamento. Qual o modo mais provável de atenderem às minhas necessidades?
[John olha fixamente para o chão, sem dizer nada.]

MBR Ei, cara, o que é que está acontecendo?

JOHN Não posso falar sobre isso.

A violência vem da crença de que os outros nos fazem sofrer e portanto merecem ser punidos.

Três horas depois, John se aproximou de mim e disse: "Marshall, eu queria que você me tivesse ensinado dois anos atrás o que me ensinou hoje de manhã. Eu não teria matado meu melhor amigo".

Toda violência resulta de as pessoas se iludirem, como esse jovem prisioneiro, e acreditarem que sua dor se origina nos outros e, portanto, eles merecem ser punidos.

Uma vez, vi meu filho mais novo pegar uma moeda de 50 centavos do quarto de sua irmã. Eu disse: "Brett, você perguntou à sua irmã se podia pegar isso?" "Eu não peguei dela" — respondeu ele. Agora eu tinha de encarar minhas quatro opções. Eu poderia tê-lo chamado de mentiroso, o que, contudo, não satisfaria minhas necessidades, já que a crítica a outra pessoa diminui a probabilidade de elas serem atendidas. Era crucial decidir naquele momento onde concentrar a atenção. Se eu o considerasse mentiroso, eu seguiria em uma direção. Se eu pensasse que ele não tinha respeito por mim para me dizer a verdade, seria outra a direção. No entanto, se mostrasse empatia por ele naquele momento ou expressasse sem disfarce o que estava sentindo, eu aumentaria muito a probabilidade de satisfazer as minhas necessidades.

A maneira como expressei minha opção, a qual se revelaria útil nessa situação, não foi tanto o que eu disse, mas o que eu fiz. Em vez de acusá-lo de mentiroso, tentei captar seus sentimentos: ele estava com medo, e sua necessidade era proteger-se de uma punição. Ao mostrar empatia por ele, consegui criar um vínculo emocional para que ambos pudéssemos satisfazer nossas necessidades. Porém, se eu tivesse partido do princípio de que ele estava mentindo

Temos quatro opções ao ouvir uma mensagem difícil:
1. *culpar-nos;*
2. *culpar os outros;*
3. *perceber nossos sentimentos e necessidades;*
4. *perceber os sentimentos e as necessidades dos outros.*

— mesmo sem declarar isso —, seria menos provável que ele se sentisse seguro para dizer a verdade sobre o acontecimento. Eu teria então me tornado parte do processo: pela própria atitude de julgar a outra pessoa mentirosa, eu estaria contribuindo para criar uma ideia que se perpetuaria. Por que alguém diria a verdade sabendo que seria julgado e punido por isso?

Eu gostaria de afirmar que, quando a cabeça está cheia de juízos e avaliações de que os outros são maus, gananciosos, irresponsáveis, mentirosos, corruptos, poluidores, que dão mais valor ao lucro mais do que à vida ou se comportam de uma maneira imprópria, muito poucos entre eles mesmos se interessarão por nossas necessidades. Se desejamos proteger o meio ambiente e procuramos um executivo de uma grande empresa com uma atitude do tipo "sabe, você é um verdadeiro assassino do planeta e não tem o direito de abusar do solo dessa maneira", reduzimos drasticamente as chances de que as nossas necessidades sejam atendidas. É raro encontrar um ser humano que consegue se concentrar em nossas necessidades quando as revelamos por meio de imagens que o condenam. Claro, podemos ter sucesso ao usar essas críticas para intimidar as pessoas e fazê-las atender às nossas necessidades. Caso se sintam amedrontadas, culpadas ou envergonhadas a ponto de mudar de atitude, podemos acreditar que é possível "vencer" dizendo aos outros o que há de errado com eles.

O julgamento dos outros contribui para a criação de ideias que se impõem.

De uma perspectiva mais ampla, porém, percebemos que, toda vez que nossas necessidades são atendidas dessa maneira, não apenas perdemos, mas também contribuímos de maneira muito perceptível para a violência no planeta. Podemos ter resolvido um problema imediato, mas teremos criado outro. Quanto mais as pessoas percebem que são incriminadas e julgadas, mais defensivas e agressivas elas se tornam e menos se importarão com as necessidades dos outros no futuro. Assim, mesmo que nossa necessidade presente seja atendida — no sentido de que as pessoas acabem fazendo o que queremos —, arcaremos com isso mais adiante.

QUATRO PASSOS PARA MANIFESTAR RAIVA

Vamos dar uma olhada no que o processo de expressar plenamente a raiva requer de concreto. O primeiro passo é parar e não fazer nada além de respirar. Abstemo-nos de fazer qualquer movimento para culpar ou punir a outra pessoa. Apenas ficamos quietos. Então, identificamos os pensamentos que estão gerando a raiva. Por exemplo, suponhamos que entreouvimos uma frase que nos faz acreditar que fomos excluídos de uma conversa por uma questão racial. Percebemos nossa raiva, paramos e reconhecemos o pensamento se agitando em nossa cabeça: "É injusto agir assim. Ela está sendo racista". Sabemos que todas as críticas desse tipo são expressões lamentáveis de necessidades não atendidas, de modo que passamos à etapa seguinte e nos ligamos às necessidades por trás desses pensamentos. Se eu julgar que alguém é racista, minha necessidade pode ser de inclusão, igualdade, respeito ou vínculo.

Passos para expressar raiva:
1. **Parar, respirar.**
2. **Identificar os pensamentos que julgam as pessoas.**
3. **Ligar-nos às nossas necessidades.**
4. **Expressar sentimentos e necessidades não atendidas.**

Para nos expressarmos plenamente, nós agora abrimos a boca e expressamos a raiva — mas esta já se transformou em necessidades e sentimentos correlatos. Todavia, manifestar esses sentimentos requer um bocado de coragem. Para mim, é fácil me irritar e dizer: "Isso é coisa de racista!" Na verdade, posso até gostar de dizer algo assim, mas pode ser muito assustador ir até as necessidades e os sentimentos mais profundos por trás de uma frase como aquela. Para expressar a raiva por inteiro, podemos dizer à pessoa: "Quando você entrou na sala, começou a conversar com os outros, não me disse nada e então fez um comentário sobre os brancos, fiquei bem enojado e muito assustado. Isso despertou em mim o desejo de ser tratado com igualdade. Eu gostaria que você me dissesse como se sente quando lhe digo isso".

MOSTRAR EMPATIA PRIMEIRO

Na maioria dos casos, porém, é preciso haver mais uma etapa antes de esperarmos que a outra parte perceba o que ocorre dentro de nós. Já que é comum os outros terem dificuldade para perceber nossos sentimentos e necessidades em tais situações, precisamos primeiro mostrar empatia por eles para que nos escutem. Quanto maior a empatia pelo que os faz comportar-se de uma maneira que não atende a nossas necessidades, maior a probabilidade de eles corresponderem mais adiante.

Nos últimos 30 anos, tive bastante experiência conversando pela CNV com pessoas que têm crenças arraigadas sobre certas raças e grupos étnicos. Numa manhã, fui apanhado no aeroporto por uma perua que me levaria à cidade. Uma mensagem da central chegou ao motorista pelo alto-falante: "Pegar o sr. Fishman na sinagoga da avenida principal". O homem ao meu lado murmurou: "Esses judeus acordam bem cedo para arrancar dinheiro de todo mundo".

Quanto mais escutarmos os outros, mais eles nos escutarão.

Durante 20 segundos me saiu fumaça pelas orelhas. Anos antes, minha primeira reação teria sido querer bater nessa pessoa. Naquele momento, respirei fundo algumas vezes e então dei a mim mesmo alguma empatia pela mágoa, pelo medo e pela fúria que ferviam dentro de mim. Cuidei de meus sentimentos. Permaneci consciente de que minha raiva não vinha do passageiro ao lado nem da afirmação que ele fizera. Seu comentário deflagrara um vulcão dentro de mim, mas eu sabia que minha raiva e meu medo profundo vinham de uma fonte bem mais íntima do que aquelas palavras que ele pronunciara. Recostei-me no assento e simplesmente deixei que os pensamentos violentos fossem embora sozinhos. Até saboreei a imagem de mim mesmo efetivamente agarrando a cabeça do sujeito e esmagando-a.

Depois de me dar essa empatia, pude concentrar a atenção na natureza humana por trás da mensagem daquele homem, e as primeiras palavras que saíram de minha boca foram: "Você está sentindo...?" Tentei mostrar empatia por ele, captar seu sofrimento. Por quê? Porque eu queria enxergar a beleza que havia nele e também que ele compreendesse plenamente o que eu sentira quando ele fez o comentário. Eu sabia que não teria esse tipo de compreensão se uma tempestade estivesse se armando dentro dele. Minha intenção foi me conectar com ele e demonstrar uma empatia respeitosa pela energia vital dentro dele que estava por trás do comentário. Minha experiência me disse que, se eu conseguisse mostrar empatia, ele seria capaz de me escutar em troca. Não seria fácil, mas ele conseguiria.

Mantenha-se consciente dos sentimentos violentos que surgirem, sem julgá-los.

"Você está se sentindo frustrado?" — perguntei. "Parece que você teve algumas experiências ruins com judeus."

Ele me encarou por um momento. "Sim! Essa gente é asquerosa; eles fazem qualquer coisa por dinheiro."

"Você sente desconfiança e necessidade de se proteger quando faz negócios com eles?"

"Isso mesmo!" — exclamou ele, continuando a fazer mais críticas, enquanto eu escutava os sentimentos e as necessidades por trás de cada uma delas. Quando concentramos a atenção nos sentimentos e nas necessidades das outras pessoas, percebemos a humanidade que temos em comum. Quando escuto que ele está receoso e quer se proteger, reconheço que também tenho necessidade de me proteger e sei o que é

Quando percebemos os sentimentos e as necessidades da outra pessoa, reconhecemos a humanidade em comum.

sentir medo. Quando minha consciência se concentra nos sentimentos e nas necessidades de outro ser humano, enxergo a universalidade de nossa experiência. Tive um enorme conflito com o que se passava na cabeça dele, mas aprendi que gosto mais dos seres humanos se não ouço o que eles pensam. Principalmente com pessoas que têm esse tipo de pensamento, aprendi a apreciar a vida muito mais apenas escutando o que se passa no coração delas, e não caindo nas armadilhas do que elas pensam.

Aquele homem continuou transbordando tristeza e frustração. Antes de eu me dar conta, ele já acabara com os judeus e passara para os negros. Ele estava cheio de sofrimento a respeito de uma série de assuntos. Depois de quase dez minutos em que apenas escutei, ele parou: sentiu que fora compreendido.

Então eu o fiz saber o que se passava dentro de mim:

MBR	Sabe, quando você começou a falar, senti muita raiva, muita frustração, tristeza e desânimo, porque minhas experiências com judeus foram muito diferentes das que você teve e porque eu queria que você tivesse tido o tipo de experiência que eu tive. Você poderia me contar o que me ouviu dizer?
HOMEM	Olha, não estou dizendo que todos eles são...
MBR	Desculpe, espere um pouco; espere. Você poderia me contar o que me ouviu dizer?
HOMEM	Do que você está falando?
MBR	Vou repetir o que estou tentando dizer. Eu gostaria mesmo que você só escutasse a dor que sinto quando ouço suas palavras. É realmente importante para mim que você escute isso. Eu estava dizendo que sinto uma tristeza profunda, porque minhas experiências com judeus foram muito diferentes. Eu apenas queria que você tivesse tido algumas experiências que

Nossa necessidade é que a outra pessoa realmente perceba o nosso sofrimento.

	fossem diferentes das que você descreveu. Poderia agora me contar o que você me ouviu dizer?
HOMEM	Você está me dizendo que não tenho o direito de falar da maneira que falei.
MBR	Não, eu gostaria que você me entendesse de forma diferente. Eu não quero mesmo culpá-lo. Não tenho nenhuma vontade de culpá-lo.

Minha intenção era desacelerar a conversa, porque, por experiência própria, sempre que ouvem qualquer tipo de crítica as pessoas não atentam para a nossa mágoa. Se aquele homem afirmasse "o que eu disse foi terrível; eram comentários racistas", ele não teria atentado para a minha dor. Se os outros acharem que fizeram algo errado, não apreenderão inteiramente nossa mágoa.

As pessoas não atentam para o sofrimento dos outros quando acham que têm culpa de algo.

Eu não pretendia que ele ouvisse uma censura, porque queria que soubesse o que acontecera em meu coração quando fez os comentários. Culpar é fácil. As pessoas estão acostumadas a se achar censuradas. Às vezes, concordam com a censura e se odeiam — o que não as impede de voltar a comportar-se da mesma maneira — e de outras vezes nos odeiam por chamá-las de racistas ou do que seja — o que também não refreia seu comportamento. Se sentimos culpa por entrar na mente delas, como senti na perua, é bom irmos mais devagar, recuar e ouvir o sofrimento delas um pouco mais.

EM RITMO PRÓPRIO

A parte mais importante para aprender a viver o processo que temos abordado é provavelmente avançar a passo próprio. É capaz que achemos estranho desviar-nos do comportamento habitual automatizado pelo condicionamento, mas, se a intenção é levar a vida conscientemente conforme os nossos valores, teremos de avançar em ritmo próprio.

Meu amigo Sam Williams escreveu os componentes básicos do processo da CNV num cartão pequeno que ele usava como "cola" no trabalho. Quando o chefe o questionava, Sam parava, consultava o cartão em sua mão e dava uma pausa para se lembrar de como responder. Quando perguntei a Sam se os colegas o achavam um pouco estranho por sempre olhar para a mão e demorar tanto tempo para formular as frases, ele respondeu: "Na verdade, não demora tanto tempo assim, mas, mesmo que demorasse, ainda valeria a pena para mim. É importante saber que estou respondendo do jeito que realmente desejo". Em casa, ele foi mais aberto e explicou à sua mulher e aos filhos por que se dava ao trabalho de consultar o cartão. Sempre que havia uma conversa na família, ele sacava o cartão e levava um tempo para responder. Depois de mais ou menos um mês, Sam sentiu-se seguro para abandonar o cartão. Então, uma noite, ele e seu filho Scottie, de 4 anos, estavam discutindo por causa da televisão e a conversa não ia bem. "Papai" — disse Scottie em tom urgente —, "pegue o cartão!"

Traduza cada julgamento em uma necessidade não satisfeita.

Para quem deseja aplicar a CNV sobretudo em situações de raiva desafiadoras, sugiro o exercício a seguir. Como vimos, a raiva provém de julgamentos, rótulos e acusações a respeito do que as pessoas "deveriam" fazer e do que "merecem". Liste as críticas que passam com mais frequência por sua cabeça partindo da frase "não gosto de pessoas que são [...]". Reúna esses julgamentos negativos e então pergunte-se: "Quando faço essa ideia a respeito de alguém, de que eu preciso que não obtenho?" Dessa maneira, você pratica a estruturação do pensamento de acordo com necessidades não satisfeitas, não pelo julgamento dos outros.

Prossiga em seu ritmo.

A prática é essencial porque a maioria foi criada, se não nas ruas de Detroit, em algum lugar só um pouco menos violento. Para nós, julgar e culpar tornou-se natural. Para praticar a CNV, devemos progredir devagar, pensar com cautela antes de falar e muitas vezes apenas respirar fundo e não dizer nada. O aprendizado e a aplicação do processo levam tempo.

RESUMO

Culpar e punir os outros são expressões externas da raiva. Se desejamos expressar a raiva plenamente, o primeiro passo é eximir o outro de qualquer responsabilidade por ela. Em vez disso, iluminamos com a luz da consciência nossos sentimentos e necessidades. Ao expressarmos as necessidades, é bem mais provável que elas sejam satisfeitas se não julgarmos, culparmos ou punirmos os outros.

Os quatro passos para expressar a raiva são (1) parar e respirar, (2) identificar nossos pensamentos que indicam julgamentos, (3) atentarmos para nossas necessidades e (4) expressar nossos sentimentos e necessidades não satisfeitas. Às vezes, entre os passos 3 e 4, podemos preferir mostrar empatia pela outra pessoa, de modo que ela possa escutar melhor quando nos expressarmos no passo 4.

Precisamos avançar em ritmo próprio tanto ao aprendermos quanto ao aplicarmos a CNV.

 **CNV EM AÇÃO**

Pai e adolescente conversam sobre um assunto ameaçador

Nesta situação, Afonso, de 15 anos, pegou sem permissão o carro de Jorge, um amigo da família. Ele saiu para se divertir com os amigos e devolveu intacto o carro à garagem, onde sua falta não havia sido notada. Entretanto, depois disso, a filha de Jorge — Eva, de 14 anos —, que também participara do passeio, contou ao pai o que tinha acontecido. Jorge então informou isso ao pai de Afonso, que agora está conversando com o filho. O pai começou recentemente a praticar a CNV.

| | COMUNICAÇÃO NÃO VIOLENTA | |

PAI | Soube que você, a Eva e o Ricardo pegaram o carro do Jorge sem pedir permissão.
AFONSO | Não, não pegamos!
PAI | *[falando alto]* Não minta para mim. Isso só vai piorar as coisas! *[Ele então se lembra de primeiro ligar-se aos próprios sentimentos e necessidades, para poder continuar ligando-se ao filho.]* Sente-se aí um momento; preciso pensar.

Percebendo-se por dentro, o pai vê a dimensão de sua raiva e de seu medo. Ele está com raiva porque diz para si mesmo: "Afonso deveria saber o que pode ou não pode fazer!" E: "Que mentiroso ele se tornou!" Ele sente medo ao pensar em todas as possíveis consequências não apenas da atitude de Afonso, mas também de seu erro de avaliação quanto ao que o filho poderia fazer.

PAI | *[em silêncio, para si mesmo]* Foi estupidez minha presumir que ele sabia o que podia e não podia fazer. Alguém poderia ter morrido nessa brincadeira! [ele cai em si] Epa! Preciso traduzir os rótulos "estupidez" e "mentiroso" em sentimentos e necessidades. Quanto a "estupidez", acho que o sentimento é de decepção comigo mesmo; eu queria achar que o conhecia melhor. E, quanto a "mentiroso", estou bastante assustado porque quero ter certeza de receber informações precisas para enfrentar essa situação.
PAI | *[em voz alta, para o filho]* Afonso, você está com medo de ser castigado se me disser a verdade?
AFONSO | É, você sempre pega pesado quando faço alguma coisa de que não gosta.
PAI | Você está dizendo que gostaria de ter mais compreensão e um tratamento mais justo no que você faz?
AFONSO | Ah, claro! Até parece que vou receber um tratamento justo e compreensivo de você!
PAI | *[em silêncio, para si mesmo]* Rapaz, como fico com raiva quando ele diz isso! Ele não enxerga quanto eu

me esforço? Preciso realmente de um pouco de respeito só pelo tanto que isso é difícil, e acho também que um pouco de afeto pelo medo que estou sentindo.

PAI　*[em voz alta, para o filho]* Está me parecendo que você acha que não será tratado com justiça, não importa o que eu diga.

AFONSO　E você se importa de me tratar com justiça? Quando acontece alguma coisa, você só quer ter alguém para castigar. Além do mais, grande coisa! Mesmo que a gente tenha pegado o carro, ninguém se machucou e o carro está de volta ao lugar onde estava. Quero dizer, isso não é nenhuma onda de crimes.

PAI　Você está com medo de que haverá consequências drásticas se você admitir que pegou o carro e quer acreditar que será tratado com justiça?

AFONSO　Sim.

PAI　*[uma pausa em silêncio, para aprofundar a ligação]* O que eu posso fazer para que você acredite nisso?

AFONSO　Prometa nunca mais me castigar.

PAI　*[Consciente de que o castigo não ajudará Afonso a ter consciência das possíveis consequências de seu comportamento, mas apenas contribuirá para um desligamento e uma resistência maior, o pai demonstra vontade de concordar com o pedido do filho.]* Eu estaria disposto a esse acordo se você concordasse em continuar dialogando comigo. Isto é, conversarmos até que eu esteja convencido de que você tem consciência de todas as possíveis consequências de ter pegado aquele carro. Porém, no futuro, se acontecer de eu não ter certeza de que você sabe do perigo potencial daquilo em que está se metendo, eu ainda poderei usar de força — mas só para proteger você.

AFONSO　Uau, maravilha! É ótimo saber que sou tão idiota que você tem de usar de força para me proteger de mim mesmo!

| COMUNICAÇÃO NÃO VIOLENTA |

PAI *[perdendo contato com suas necessidades, mas em silêncio] Rapaz, há momentos em que eu poderia simplesmente matar o pirralho... Fico tão furioso quando ele diz coisas assim! Realmente, não parece que ele se importa... Puxa, do que estou precisando agora? Preciso saber, quando me esforço tanto, que ele pelo menos se importa comigo.*

PAI *[gritando com raiva]* Sabe, Afonso, quando você diz coisas assim, fico furioso de verdade! Estou me esforçando muito para ficar de seu lado nessa situação, mas quando ouço coisas como essa... Veja, preciso saber se você ao menos tem vontade de continuar conversando comigo.

AFONSO Não ligo.

PAI Afonso, eu quero escutá-lo mesmo, sem cair no meu velho hábito de culpá-lo e ameaçá-lo sempre que algo me aborrece. Mas, quando ouço você dizer coisas como "é ótimo saber que sou tão idiota" nesse tom de voz, é difícil me controlar. Você poderia me ajudar – isto é, se preferir que eu o escute em vez de culpá-lo e ameaçá-lo. Se não, acho que minha outra opção é apenas tratar disso da maneira que estou acostumado a lidar com as coisas.

AFONSO E como seria isso?

PAI Bem, agora, acho que eu estaria dizendo: "Você está de castigo por dois anos: sem televisão, sem carro, sem dinheiro, sem namoro, sem nada!"

AFONSO Bem, então acho que quero que você faça as coisas do jeito novo.

PAI *[com humor]* Estou contente de ver que seu senso de autopreservação ainda está intacto. Agora preciso que você me diga se está disposto a me oferecer um pouco de sinceridade e vulnerabilidade.

AFONSO O que você quer dizer com "vulnerabilidade"?

PAI Quero dizer que você me conta o que realmente está sentindo sobre o que estamos conversando, e eu, de meu lado, lhe digo o mesmo. *[com voz firme]* Está disposto?

AFONSO	Tá bom, vou tentar.
PAI	[*com um suspiro de alívio*] Obrigado. Agradeço sua disposição de tentar. Eu lhe contei? Jorge pôs Eva de castigo por três meses. Ela não vai poder fazer nada. Como você se sente a esse respeito?
AFONSO	Cara, que droga! Isso é tão injusto!
PAI	Eu gostaria de ouvir seus sentimentos reais sobre isso.
AFONSO	Já disse: é totalmente injusto!
PAI	[*percebendo que Afonso não está em contato com o que sente, decide adivinhar*] Você está triste porque ela está tendo de pagar tão caro pelo erro que cometeu?
AFONSO	Não, não é isso. Quero dizer, o erro não foi dela.
PAI	Ah, então você está chateado porque ela está pagando por algo que foi ideia sua?
AFONSO	Bem, sim, ela só fez o que eu disse a ela que fizesse.
PAI	Está me parecendo que você está um tanto magoado por dentro, vendo que tipo de efeito sua decisão teve para a Eva.
AFONSO	Por aí.
PAI	Afonsinho, eu realmente preciso saber se você está pronto para perceber que seus atos têm consequências.
AFONSO	Bem, eu não pensei no que poderia dar errado. Sim, acho que realmente pisei feio na bola.
PAI	Prefiro que você veja a coisa como algo que você fez que não saiu do jeito que queria. E eu ainda preciso ter certeza de que você tem consciência das consequências. Você poderia me dizer o que está sentindo nesse momento a respeito do que fez?
AFONSO	Eu me sinto um idiota completo, pai... Eu não queria magoar ninguém.
PAI	[*traduzindo em sentimentos e necessidades as autocríticas que Afonso fez*] Então, você está triste e arrependido do que fez porque gostaria que as pessoas tivessem certeza de que você não magoaria ninguém?

| COMUNICAÇÃO NÃO VIOLENTA |

AFONSO É, eu não queria causar tantos problemas. Eu simplesmente não pensei nisso.
PAI Você está dizendo que gostaria de ter pensado mais e tido uma ideia mais clara antes de agir?
AFONSO *[refletindo]* Sim...
PAI Bem, é reconfortante para mim ouvir isso, e, para que as coisas fiquem bem de verdade com o Jorge, eu gostaria que você fosse falar com ele e lhe dissesse o que acabou de me dizer. Está disposto a fazer isso?
AFONSO Mas, pai, isso dá medo! Ele vai ficar uma fera!
PAI Sim, é provável que fique. Essa é uma das consequências. Você está disposto a se responsabilizar por seus atos? Eu gosto do Jorge, quero que ele continue sendo meu amigo e aposto que você gostaria de manter sua amizade com Eva. Não é verdade?
AFONSO Ela é uma de minhas melhores amigas.
PAI Então, vamos vê-los?
AFONSO *[com medo e relutância]* Bem... está certo. Sim, acho que sim.
PAI Você está com medo e precisa saber que não acontecerá nada com você se for falar com ele?
AFONSO Sim.
PAI Iremos juntos. Estarei lá por você e com você. Estou realmente orgulhoso por você estar disposto a isso.

11 Mediação e solução de conflitos

Agora que você se familiarizou com as etapas da comunicação não violenta, quero mostrar como aplicá-las à solução de conflitos. Os conflitos podem ocorrer entre você e outra pessoa, ou talvez você queira ou lhe peçam que se envolva num conflito entre outras pessoas — familiares, parceiros, colegas de trabalho ou mesmo desconhecidos. Seja qual for a situação, a solução de conflitos envolve todos os princípios que descrevi antes neste livro: observar, identificar e expressar sentimentos, ligar sentimentos a necessidades e fazer solicitações viáveis a outra pessoa usando uma linguagem de ação clara, concreta e positiva.

Durante várias décadas, usei a comunicação não violenta para resolver conflitos em todo o mundo. Estive com casais, famílias, trabalhadores e empregadores infelizes e ainda grupos étnicos em guerra. A experiência me ensinou que é possível resolver praticamente qualquer conflito satisfazendo a todos. Só se precisa ter muita paciência, vontade de estabelecer vínculos humanos e a intenção de seguir os princípios da CNV, para então chegar a uma solução e confiar em que o processo funcionará.

O mais importante é criar vínculos entre as pessoas.

VÍNCULO HUMANO

Na solução de conflitos com base na CNV, o mais importante é criar um vínculo entre os envolvidos. Isso faz funcionar todas as outras etapas da CNV, porque só depois de chegar a tal ligação é que cada lado tentará saber exatamente o que o outro sente e necessita. As partes também precisam saber desde o início que o objetivo não é levar a outra a fazer o que querem. E, quando os dois lados entendem isso, torna-se possível — às vezes até fácil — conversar sobre o modo de atender às necessidades deles.

Com a CNV, tentamos pautar-nos por um sistema de valores diferente e ao mesmo tempo almejamos mudar a situação. O mais importante é que cada ligação reflita o tipo de mundo que procuramos criar. Todos os passos devem espelhar claramente o que buscamos, que vem a ser uma imagem holográfica da qualidade das relações que tentamos criar. Em suma, a maneira de almejar a mudança reflete o sistema de valores que pretendemos promover. Percebida a diferença entre esses dois objetivos, deixamos conscientemente de levar alguém a fazer o que queremos. Ou seja, trabalhamos para criar esse caráter de preocupação e respeito mútuos, pelo qual cada parte valoriza suas necessidades e tem consciência de que estas e o bem-estar da outra parte são interdependentes. Assim que isso ocorre, é incrível como se resolvem facilmente conflitos que pareciam insolúveis.

Quando me chamam para solucionar um conflito, procuro encaminhar os dois lados para essa ligação, com carinho e respeito. Essa costuma ser a parte difícil. Quando consumada, auxilio as partes a criar estratégias que resolvam o conflito para a satisfação de ambos os lados.

Note que eu uso a palavra *satisfação* em vez de *compromisso*! A maioria das tentativas de solução busca um compromisso, o que significa que todos abrem mão de algo e nenhum dos lados se satisfaz. Com a CNV é diferente: temos por objetivo atender plenamente às necessidades de todos.

SOLUÇÃO DE CONFLITOS PELA CNV
VERSUS MEDIAÇÃO TRADICIONAL

Voltemos a considerar o aspecto do vínculo humano da CNV, desta vez observando a mediação de um terceiro — a pessoa que intervém para solucionar um conflito entre duas partes. Quando trabalho com duas pessoas ou dois grupos por causa de um conflito que não conseguiram resolver, abordo esse aspecto de maneira muito diferente da que os mediadores profissionais adotam.

Por exemplo, certa vez me reuni na Áustria com um grupo de mediadores profissionais que atuavam em diversos conflitos internacionais, mesmo entre sindicatos e a direção de empresas. Discorri sobre vários conflitos que eu mediara, como na Califórnia, entre proprietários de terras e trabalhadores migrantes, no qual houve considerável violência física. Falei ainda da mediação entre duas tribos africanas (a qual eu abordo por inteiro em meu livro *Speak peace in a world of conflict* [Falar de paz num mundo de conflito] e de outros conflitos bastante arraigados e perigosos.

Perguntaram-me por quanto tempo eu estudo uma situação que pretendo mediar. Essa pessoa tinha como referência o processo utilizado pela maioria dos mediadores: estudar as questões presentes no conflito e então fazer a mediação concentrando-se *nessas questões*, em vez de concentrar-se na criação de uma ligação entre as pessoas. Na verdade, em mediações comuns realizadas por terceiros, as partes em conflito podem nem estar na mesma sala. Certa vez, quando participei de uma mediação, nosso lado estava em uma sala, o outro, em sala diferente, e o mediador ia e vinha entre os ambientes. Ele nos perguntava: "O que você quer que eles façam?" Aí, voltava para o outro lado e via se estavam dispostos a aceitar. Então, voltava e dizia: "Eles não estão dispostos a fazer isso, mas o que acham disto?"

Muitos mediadores dizem que sua função é a de uma "terceira cabeça" que pensa em uma maneira de fazer que todos cheguem a um acordo. Eles não se preocupam de forma alguma com a criação de um vínculo de qualidade, negligenciando, assim, o único recurso para a solução de conflitos que eu vi dar certo. Quando descrevi o método da CNV e o papel do vínculo humano, um dos participantes da reunião na Áustria

Quando se cria o vínculo, o problema geralmente se resolve.

levantou a objeção de que eu estava falando de psicoterapia, e mediadores não são psicoterapeutas.

Pela minha experiência, aproximar pessoas nesse âmbito não é psicoterapia; na realidade, é o cerne da mediação, porque, quando se forma o vínculo, o problema se resolve na maior parte das vezes. Em vez de uma terceira pessoa perguntar "em que pontos estamos de acordo", se tivéssemos uma declaração clara das necessidades de cada pessoa — aquilo de que as partes precisam *no momento* —, descobriríamos o que pode ser feito para que todas as necessidades sejam satisfeitas. Essa passa a ser a estratégia que as partes concordam em implementar quando termina a sessão de mediação e elas deixam a sala.

ETAPAS DA SOLUÇÃO DE CONFLITOS PELA CNV — UM BREVE RESUMO

Antes de nos aprofundarmos na discussão de alguns dos outros elementos fundamentais para solucionar conflitos, farei um esboço das etapas da solução de um conflito entre nós e outras pessoas. Esse processo tem cinco etapas. Qualquer um dos lados pode manifestar suas necessidades primeiro, mas, para simplificar a questão neste resumo, suponhamos que comecemos pelas nossas.

- Em primeiro lugar, expressamos nossas necessidades.
- Em segundo, procuramos entender as necessidades reais da outra parte, independentemente de como ela as tenha exposto. Se ela não verbalizar uma necessidade e sim uma opinião, uma crítica ou uma análise, notaremos esse fato e continuaremos a buscar a necessidade por trás do que ela disse.
- Em terceiro lugar, confirmamos se nós e a outra parte reconhecemos com precisão as necessidades do outro; em caso contrário, continuamos a tentar captar a necessidade por trás das palavras.
- Em quarto, precisamos ter o máximo de empatia para compreender as necessidades do outro lado.

- Em quinto lugar, depois de esclarecer as necessidades de ambas as partes em dada situação, propomos estratégias para resolver o conflito, apresentando-as em linguagem positiva de ação.

Evite usar linguagem que evidencie uma crítica.

Ao longo de todo o processo, escutamos um ao outro com o máximo cuidado, evitando sempre o uso de linguagem que possa ser interpretada como crítica de ambos os lados.

NECESSIDADES, ESTRATÉGIAS E ANÁLISES

Como o entendimento e a manifestação das necessidades são essenciais para solucionar conflitos pela CNV, retomemos esse conceito vital enfatizado ao longo deste livro, em particular no Capítulo 5.

Em essência, necessidades são os recursos que a vida exige para se sustentar. Todos temos necessidades físicas — ar, água, comida, descanso. E temos necessidades psicológicas, como compreensão, apoio, honestidade e significação. Creio que todas as pessoas têm as mesmas necessidades básicas, independentemente de nacionalidade, religião, sexo, renda, educação etc.

Consideraremos em seguida a diferença entre as necessidades de uma pessoa e sua estratégia para supri-las. Ao resolver conflitos, é importante reconhecer com clareza a diferença entre necessidade e estratégia.

Muitos têm grande dificuldade de expressar as próprias necessidades — a sociedade nos ensinou a criticar, xingar e ainda a nos comunicarmos de modo desagregador. Em um conflito, ambos os lados gastam em geral muito tempo tentando provar que estão certos, em vez de prestar atenção às próprias necessidades e às do outro. E esses conflitos verbais podem facilmente se transformar em violência — e até guerra.

Para não confundir necessidade com estratégia, é importante lembrar que *as necessidades não se referem a alguém que tome uma atitude específica*. Por outro lado, as estratégias, que podem assumir a forma de solicitações, desejos, carências e "soluções", referem-se a *ações específicas que pessoas específicas podem tomar*.

Por exemplo, uma vez conheci um casal que quase desistiu do casamento. Perguntei ao marido quais das suas necessidades o casamento não satisfazia. Disse ele: "Eu preciso cair fora desse casamento". O marido se referiu a uma pessoa específica (ele mesmo) que precisava tomar uma atitude específica (deixar o casamento), e acabou não expressando uma necessidade; ele revelou uma estratégia.

Chamei a atenção do marido para isso e sugeri que, antes de adotar a estratégia de "cair fora desse casamento", esclarecesse as necessidades dele e de sua mulher. Depois que ambos se ligaram às próprias necessidades e às do outro, descobriram que poderiam satisfazê-las com outras estratégias que não encerrar o casamento. O marido admitiu sua necessidade de reconhecimento e compreensão pela tensão gerada por seu trabalho esgotante, e a mulher admitiu sua necessidade de proximidade e convívio numa situação em que o trabalho do marido ocupava grande parte do tempo dele.

Assim que realmente entenderam as necessidades do outro, marido e mulher conseguiram chegar a uma série de ajustes que satisfizeram as necessidades de ambos e ao mesmo tempo contornaram as exigências do trabalho dele.

Com outro casal, a falta de um "cabedal de necessidades" assumiu a forma de confusão entre expressão de necessidades e avaliação; por fim, levou à violência física entre eles. Fui convidado a intermediar esse caso no final de um treinamento no local de trabalho, quando um homem descreveu chorando a sua situação e perguntou se ele e sua mulher poderiam conversar comigo em particular.

Concordei em encontrá-los em sua casa e comecei dizendo: "Sei que vocês estão muito ressentidos. Para começar, cada um de vocês vai expressar quaisquer necessidades suas que não estejam sendo supridas no relacionamento. Depois de entenderem as necessidades de cada um, estou confiante de que poderemos abordar suas estratégias para atender a elas".

Não sendo "alfabetizado em necessidades", o marido começou dizendo à mulher: "Seu problema é que você é totalmente insensível às minhas necessidades".

Ela respondeu do mesmo modo: "É típico de você dizer coisas injustas como essa!"

Em vez de expressar necessidades, eles estavam fazendo análises, que são facilmente entendidas como críticas. Como mencionei anteriormente neste livro, as avaliações que insinuam um erro não passam de expressões lamentáveis de necessidades insatisfeitas. Nesse casal, as necessidades do marido eram apoio e compreensão, todavia as expressou como "insensibilidade" da mulher. Esta também tinha necessidade de ser compreendida com precisão, mas o manifestou por meio da "injustiça" do marido. Demorou um pouco para marido e mulher desencavarem todas as suas necessidades, e foi somente por meio do real reconhecimento e valorização das necessidades do outro que eles enfim conseguiram começar a explorar estratégias para enfrentar seus antigos conflitos.

Certa vez, trabalhei com uma empresa onde o moral e a produtividade caíram bastante devido a um conflito bastante incômodo. Em um mesmo departamento, dois grupos discutiam sobre o melhor *software* para usar, o que gerou um turbilhão de emoções dos dois lados. O grupo que havia trabalhado muito para desenvolver o programa em uso na época queria

As avaliações racionais são entendidas em geral como crítica.

que ele continuasse a ser utilizado; o outro grupo se aferrava à criação de um novo programa.

Comecei pedindo a cada um dos lados que me explicasse a quais necessidades deles o *software* defendido atendia melhor. A resposta foi uma análise racional que o outro lado recebeu como crítica. Um membro do grupo que queria um programa novo disse: "Podemos continuar bastante cautelosos, mas, se fizermos isso, acho que acabaremos desempregados. Avançar significa correr alguns riscos e ousar mostrar que estamos para lá das formas antiquadas de fazer as coisas". Um membro do grupo contrário respondeu: "Mas acho que não nos interessa adotar por impulso qualquer coisa que aparecer". Eles reconheceram que vinham repetindo as mesmas avaliações fazia meses e só haviam conseguido aumentar a tensão.

Quando não sabemos expressar direta e claramente o que necessitamos e só conseguimos fazer análises que soam para os outros como crítica, as guerras nunca estão distantes, sejam verbais, psicológicas ou físicas.

Perceber as necessidades dos outros a despeito do que digam

Para resolver conflitos usando a CNV, precisamos treinar para escutar as pessoas que expressam necessidades, mas sem atentar para o modo como as revelam. Se realmente queremos ajudar os outros, devemos primeiro aprender a traduzir *qualquer* mensagem em manifestação de uma necessidade. A mensagem pode tomar a forma de silêncio, negação, julgamento, gesto — ou, é de esperar, um pedido. Mesmo que de início recorramos a suposições, vamos aperfeiçoando a capacidade de ouvir uma necessidade em cada mensagem.

Por exemplo, em meio a uma conversa, se eu perguntar a outra pessoa sobre algo que ela disse e ouço "que pergunta boba!", eu a vejo expressar uma necessidade na forma de uma crítica a mim. Em seguida, tento adivinhar qual poderia ser essa necessidade — talvez a pergunta que eu fiz não tenha satisfeito à necessidade dessa pessoa de ser compreendida. Ou, se eu pedir à minha companheira que comente sobre a tensão no nosso relacionamento e ela me responder que não quer falar

Capte as necessidades e não o modo como as pessoas as exprimem.

nisso, posso depreender que a necessidade dela seja proteger-se daquilo que, em sua imaginação, poderia acontecer se conversássemos sobre o relacionamento. Portanto, este é o nosso trabalho: aprender a reconhecer uma necessidade em declarações que não expressam claramente necessidade alguma. Isso requer prática e sempre envolve alguma adivinhação. Quando sentimos o que a outra pessoa necessita, podemos confirmar com ela e então ajudá-la a traduzir em palavras a sua necessidade. Se formos capazes de realmente captar a necessidade, criaremos um novo nível de vínculo — uma peça fundamental que leva o conflito a uma solução bem-sucedida.

Em oficinas para casados, sempre procuro o casal que tenha o conflito mais persistente para demonstrar minha previsão de que, quando cada um consegue declarar quais são as necessidades do outro, a solução do conflito não levará mais do que 20 minutos. Certa vez houve um casal cujo casamento amargou 39 anos de conflito por dinheiro. Com seis meses de casamento, a mulher havia deixado a conta corrente negativa duas vezes, e por isso o marido passou a tomar conta do dinheiro e não deixou mais que ela passasse cheques. Desde então, os dois nunca pararam de discutir por isso.

A mulher contestou minha previsão dizendo que, embora eles tivessem um bom casamento e se comunicassem bem, não seria possível resolver tão rapidamente um conflito tão antigo.

Pedi-lhe que me dissesse se ela sabia quais eram as necessidades do marido nesse conflito. Ela respondeu: "Obviamente ele não quer que eu gaste dinheiro nenhum". Ao que o marido exclamou: "Isso é ridículo!"

Ao afirmar que o marido não queria que ela gastasse dinheiro, a mulher identificava o que chamo de estratégia. Mesmo que tivesse acertado a *estratégia* do marido, ela não identificara a *necessidade* dele. Aqui, de novo, a distinção é indispensável. Segundo a minha definição, uma necessidade não se refere a um ato específico, como gastar ou não gastar dinheiro. Eu disse à mulher que todas as pessoas compartilham as mesmas necessidades e, se ela conseguisse ao menos entender as necessidades do marido, o problema seria resolvido. Quando instigada a especificar novamente as necessidades do marido, ela respondeu: "Ele é igualzinho ao pai" — referindo-se à relutância de seu sogro em gastar dinheiro. Nesse momento, ela fez uma avaliação.

Eu a interrompi para perguntar de novo: "Qual era a necessidade dele?"

Ficou claro que, mesmo depois de 39 anos "comunicando-se bem", ela ainda não tinha ideia das necessidades do marido.

Então me voltei para o marido. "Já que sua mulher não sabe das suas necessidades, por que não lhe conta quais são? Que necessidades você está suprindo ao não dar a ela o talão de cheques?" Ele respondeu: "Marshall, ela é uma mulher maravilhosa, uma mãe maravilhosa. Mas, quando se trata de dinheiro, é totalmente irresponsável". Seu uso de uma *avaliação* ("ela é irresponsável") implica uma linguagem que atrapalha a solução pacífica de conflitos. Quando qualquer um dos lados se vê criticado, avaliado ou interpretado, a energia da situação provavelmente se concentrará na autodefesa e nas acusações mútuas, não na solução do conflito.

Crítica e avaliação atrapalham a solução pacífica de conflitos.

Tentei perceber quais eram o sentimento e a necessidade dele ao chamar sua mulher de irresponsável: "Você se sente *assustado* porque tem necessidade de proteger o dinheiro de sua família?" Ele concordou que era isso mesmo. Evidentemente, eu tinha apenas feito uma adivinhação correta, mas não teria precisado acertar na primeira vez porque, mesmo errando, eu ainda estaria concentrado nas necessidades dele — e esse é o ponto-chave da questão. Aliás, quando apresentamos aos outros previsões erradas, estas podem ajudá-los a perceber suas necessidades verdadeiras, levando-os da avaliação a uma conexão maior com a vida.

As necessidades foram ouvidas?

O marido enfim reconheceu sua necessidade: dar segurança à família. O passo seguinte foi verificar se a mulher compreendeu essa necessidade. Essa etapa é crucial para a solução de conflitos. Não devemos presumir que, quando uma das partes expressa claramente uma necessidade, a outra parte a assimile com precisão. Perguntei à mulher: "Você pode me dizer, pelo que você ouviu, quais são as necessidades do seu marido nessa situação?"

"Bem, só porque eu estourei a conta bancária umas duas vezes não significa que eu vá continuar fazendo isso."

A resposta não foi incomum. A mágoa que se acumula por muitos anos pode atrapalhar a capacidade de ouvir com clareza, mesmo que o exposto seja claro para outras pessoas. Para continuar, eu disse a ela: "Eu gostaria de lhe contar o que ouvi seu marido dizer, e eu gostaria que você repetisse isso. Ouvi seu marido dizer que tem necessidade de proteger a família, e ele está assustado, porque quer ter certeza de que a família está protegida".

EMPATIA PARA ALIVIAR A MÁGOA QUE ATRAPALHA A ESCUTA

No entanto, ela ainda estava muito ressentida para me ouvir. Isso suscita outra habilidade necessária para efetivamente usarmos a solução de conflitos da CNV. Quando desgostosas, as pessoas em geral precisam dotar-se de empatia para conseguir escutar o que se diz a elas. Nesse caso, mudei de rumo: em vez de tentar fazê-la repetir o que o marido dissera, procurei entender a mágoa dela — a mágoa que a impedia de ouvi-lo.

> **Em geral, as pessoas precisam ter empatia para escutar o que se diz a elas.**

Sobretudo quando existe um ressentimento antigo, é importante sentir muita empatia para que as partes se sintam seguras de que seu sofrimento está sendo reconhecido e compreendido.

Quando me dirigi à mulher com empatia — "percebo que você está muito magoada e precisa que confiem em que você aprende com a experiência" —, sua fisionomia mostrou-me quanto ela necessitava essa compreensão. "Sim, exatamente" — respondeu, mas, quando lhe pedi que repetisse o que o marido dissera, ela afirmou: "Ele acha que eu gasto muito dinheiro".

Assim como não nos ensinaram a manifestar nossas necessidades, a maioria não sabe ouvir as necessidades dos outros. Tudo que o marido lhe dizia ela entendia como crítica e avaliação. Encorajei-a a tentar apenas escutar as necessidades dele. Depois que eu repeti mais duas vezes sua necessidade de segurança para a família, ela finalmente conseguiu escutá-lo. Então, depois de mais algumas rodadas, ambos conseguiram atentar para as necessidades do outro. E, assim como eu previra, quando compreendessem — pela primeira vez em 39 anos — as necessidades de cada um em relação ao talão de cheques, levaria menos de 20 minutos para encontrar maneiras práticas de atender às suas necessidades.

Com o passar dos anos, quanto mais experiência ganhei mediando conflitos e quanto mais vi o que leva famílias a discutir e países a guerrear, mais me convenci de que a maioria das crianças em idade escolar poderia resolver conflitos. Eles seriam resolvidos facilmente se pudéssemos apenas dizer: "Estas são as necessidades de ambos os lados; estes são os recursos. O que se pode fazer para atender a elas?" Em vez disso, nosso pensamento se concentra em nos aviltarmos com rótulos e julgamentos, até que se torna bem difícil de resolver até o mais simples dos conflitos. A CNV nos ajuda a fugir dessa armadilha, aumentando, assim, as chances de obter uma solução satisfatória.

O USO DA LINGUAGEM POSITIVA DE AÇÃO NO PRESENTE E A SOLUÇÃO DE CONFLITOS

Embora tenha abordado no Capítulo 6 o uso da linguagem positiva de ação no tempo presente, eu gostaria de apresentar mais alguns exemplos para demonstrar sua importância na solução de conflitos. Depois que ambas as partes se ligaram às necessidades da outra, o passo seguinte é elaborar estratégias que atendam a essas necessidades. É relevante evitar a pressa na transição para as estratégias, pois pode resultar num compromisso sem a profundidade de uma solução autêntica. Ao entenderem as necessidades do outro antes de abordar soluções, as partes em conflito têm probabilidade bem maior de aderir aos acordos. O processo deve terminar com ações que atendam às necessidades de todos. Trata-se de apresentar estratégias em linguagem positiva de ação, clara e no presente, que leve o conflito à solução.

Declaração em *linguagem no presente* refere-se ao que se deseja *no momento*. Por exemplo, uma das partes diria: "Gostaria que você me dissesse se está disposto a [...]" — e descreveria a atitude que gostaria que a outra parte tomasse. O uso de um pedido em linguagem no presente que comece com "você está disposto a [...]" ajuda a incentivar uma discussão respeitosa. Se o outro lado responde que não está disposto, motiva-se o passo seguinte, o de entender o que impede a vontade.

Por outro lado, sem a linguagem no presente, um pedido como "eu gostaria que você fosse ao cinema comigo no sábado à noite" não transmite o que se quer ouvir do outro *naquele momento*. O uso de linguagem no presente para melhorar essa afirmação — por exemplo, "você pode me dizer se vai ao cinema comigo no sábado à noite?" — dá mais clareza e continuidade à conversa. Podemos esclarecer mais o pedido, indicando o que queremos da pessoa no momento presente: "Você pode me dizer se gostaria de ir ao cinema comigo no sábado à noite?" Quanto maior a clareza com relação à resposta que queremos da outra parte no momento, maior a probabilidade de solução.

O USO DE VERBOS DE AÇÃO

No Capítulo 6, abordamos o papel da linguagem de ação ao formular pedidos na CNV. Em situações conflituosas, é superimportante nos concentrarmos no que *queremos*, ao invés do que *não queremos*. Falar do que não se deseja pode facilmente criar confusão e resistência nas partes em conflito.

A linguagem de ação exige o uso de verbos de ação e ao mesmo tempo rechaça uma linguagem que seja obscura ou possa ser interpretada como ataque. Quero ilustrar isso com o caso de uma mulher que manifestou a necessidade de compreensão, que não era satisfeita em seu principal relacionamento. Depois que seu companheiro conseguiu escutar e reproduzir com precisão a necessidade de compreensão dela, voltei-me para a mulher e disse: "Está bem. Vamos às estratégias. O que você quer do seu companheiro que atenda à sua necessidade de compreensão?" Ela olhou para ele e disse: "Eu gostaria que você me escutasse quando eu falo com você". "Eu escuto quando você fala!" — retrucou o companheiro. Não raro alguém diz que gostaria de ser escutado e a outra parte entende que se trata de uma acusação e, assim, sente-se ressentida.

A linguagem de ação requer o uso de verbos de ação.

Eles ficaram num vaivém: o companheiro repetia "eu escuto" e a mulher respondia "não, não escuta". Eles me disseram que tiveram essa "conversa" durante 12 anos, uma situação típica em conflitos quando os dois lados usam palavras vagas como "escutar" para exprimir estratégias. Sugiro que, em vez disso, sejam usados verbos de ação que transmitam *algo que possamos ver acontecer ou ouvir — algo que possa ser gravado em vídeo*. A "escuta" ocorre dentro da cabeça de alguém; outra pessoa não consegue ver se está ocorrendo ou não. Uma maneira de determinar se alguém está realmente escutando é fazê-lo reproduzir o que foi dito: pedimos que tome uma atitude que consigamos ver ou ouvir. Se a outra parte conseguir dizer a nós o que foi dito, saberemos o que ela ouviu e que estava escutando mesmo.

Em outro conflito entre marido e mulher, esta queria saber se o marido respeitava suas escolhas. Depois de declarar sua necessidade com sucesso, seu próximo passo foi descobrir qual seria a sua estratégia para atender a essa necessidade e fazer um pedido ao marido. Ela disse a ele: "Eu quero que você me dê liberdade para crescer e ser eu mesma". "Eu dou" — respondeu ele, e, assim como o outro casal, seguiu-se um toma lá dá cá infrutífero de "sim, eu dou" e "não, não dá".

Uma linguagem de inação, como "me dê liberdade para crescer", muitas vezes intensifica o conflito. Nesse caso, o marido se sentiu chamado de dominador. Ressaltei para a mulher que não estava claro para o marido o que ela queria: "Por favor, diga-lhe exatamente o que você gostaria que ele fizesse para satisfazer sua necessidade de respeito às suas escolhas".

"Eu quero que você me deixe..." — começou ela. Eu a interrompi para dizer que "deixar" era muito vago: "O que você quer dizer precisamente com alguém 'deixar'?"

Depois de refletir por alguns segundos, ela chegou a um entendimento importante: reconheceu que o que ela queria mesmo quando disse coisas como "eu quero que você me deixe existir" e "eu quero que você me dê a liberdade de crescer" era o marido dizer-lhe que o que ela fizesse estaria bom.

Quando percebeu o que estava realmente pedindo — que ele *lhe dissesse algo* —, a mulher reconheceu que aquilo que ela queria não lhe dava muita liberdade de ser ela mesma nem mesmo respeito às suas escolhas. E manter o respeito é um elemento fundamental para a solução bem-sucedida de conflitos.

É crucial manter o respeito para solucionar bem um conflito.

TRADUZIR O NÃO

Quando se faz um pedido, é muito importante ser respeitoso com a reação da outra pessoa, concorde ela ou não com o que se pediu. Muitas mediações que presenciei consistem em esperar que as pessoas se desgastem a ponto de aceitar qualquer acordo. Isso é muito diferente de uma solução em que as necessidades de todos são atendidas e ninguém perde nada.

No Capítulo 8, descobrimos a importância de não interpretar um não como rejeição. Ao escutar atentamente a mensagem por trás do não, entenderemos as necessidades dos outros: *quando dizem não, mostram ter uma necessidade que os impede de dizer sim ao que pedimos.* Se conseguirmos compreender a necessidade por trás do não, poderemos prosseguir a solução do conflito — sempre nos concentrando na busca de uma maneira de atender às necessidades de todos — mesmo que a outra parte diga não à estratégia específica que apresentamos.

A CNV E O PAPEL DO MEDIADOR

Embora neste capítulo eu tenha apresentado exemplos de mediações que conduzi entre partes conflitantes, o foco até agora tem sido a aplicação dessas aptidões para solucionar conflitos entre nós e outra parte. No entanto, há algumas coisas sobre as quais devemos ter clareza nos momentos em que assumimos o papel de mediador e queremos usar os recursos da CNV para ajudar outras duas partes a solucionar um conflito.

Seu papel e a confiança no processo

Quando intermediamos um conflito, é bom começar assegurando às partes em conflito que não estamos lá para tomar partido, mas para ajudá-las a ouvir-se e guiá-las para uma solução que atenda às necessidades de ambas. Conforme as circunstâncias, podemos também querer transmitir a nossa confiança de que, se as partes seguirem as etapas da CNV, suas necessidades serão satisfeitas no final.

Lembre-se: o foco não somos nós

No início deste capítulo, enfatizei que o objetivo não é levar a outra parte a fazer o que queremos. Isso também se aplica à mediação do conflito dos outros. Embora possamos ter desejos próprios sobre como o conflito deve ser solucionado — especialmente quando ocorrer entre familiares, amigos ou colegas de trabalho —, devemos re-

O objetivo não é levar as partes a fazer o que queremos.

cordar que não estamos lá para realizar os nossos objetivos. O papel do mediador é criar um ambiente em que as partes possam ligar-se, expressar suas necessidades, entender as necessidades de cada uma e chegar a estratégias que as supram.

Empatia de primeiros socorros

Como mediador, enfatizo minha intenção de que ambas as partes sejam compreendidas por completo e com exatidão. Apesar disso, assim que expresso empatia por um lado, não é incomum o outro logo me acusar de favoritismo. Nesse momento, é necessário aplicar a empatia de primeiros socorros, que pode soar como: "Então você está muito incomodado e precisa de uma garantia de que o seu lado será ouvido?"

Depois de manifestar empatia, lembro as partes de que terão a oportunidade de ser ouvidas, e a sua vez virá em seguida. Assim, vale a pena confirmar se concordam em esperar a vez, perguntando, por exemplo: "Você está segura com relação a isso ou gostaria de ter outra confirmação de que sua oportunidade de ser ouvida logo chegará?"

Talvez tenhamos de fazer isso várias vezes para prosseguir a mediação.

Não perca o fio da meada

Quando intermediamos, temos de ficar com os ouvidos atentos, prestando muita atenção ao que se diz, garantindo que ambas as partes possam expressar suas necessidades, ouvir as necessidades da outra e fazer solicitações. Também precisamos "acompanhar o fio da meada": ter consciência de onde uma pessoa parou para podermos retornar ao que ela disse depois que ouvimos a outra parte.

Isso pode ser difícil, sobretudo quando os ânimos esquentam. Em ocasiões desse tipo, acho útil usar uma lousa ou um cavalete com papel para registrar a essência do sentimento ou da necessidade que o último lado expressou.

Essa forma de registro visual também serve para assegurar a ambas as partes que suas necessidades serão abordadas — isso porque, antes de conseguirmos captar por inteiro as necessidades de uma das partes, a outra costuma se adiantar para falar. O registro visível dessas necessidades para os presentes pode ajudá-los a sentir-se seguros de que suas necessidades serão ouvidas. Desse modo, todos têm condições de prestar atenção ao que se diz em dado momento.

Mantenha a conversa no presente

Outra característica central da mediação é conscientizar-se do momento: quem precisa do quê agora? Quais são os pedidos atuais? É necessário ter muita prática para manter a consciência no momento, algo que a maioria nunca aprendeu a fazer.

À medida que avançamos na mediação, é provável que haja muita discussão sobre o que aconteceu tempos atrás e o que as pessoas querem que aconteça de maneira diferente no futuro. No entanto, a solução de um conflito só pode ocorrer no momento presente, de modo que precisamos concentrar-nos no momento presente.

Mantenha o andamento do processo

Outra função da mediação é evitar que a conversa fique estagnada. Isso pode acontecer com muita facilidade, pois as pessoas geralmente pensam que, se contarem a mesma história *mais uma vez*, enfim serão compreendidas e o outro lado fará o que elas quiserem.

Para garantir o andamento, o mediador precisa fazer perguntas eficientes e, quando necessário, manter ou até acelerar o ritmo. Certa vez, quando eu estava escalado para conduzir uma oficina numa cidade pequena, o organizador do evento perguntou se eu o ajudaria numa disputa pessoal relativa à divisão de bens da família. Concordei em mediar, e sabia que haveria apenas um intervalo de três horas entre as oficinas para fazê-lo.

A disputa familiar centrava-se em um homem que possuía uma fazenda enorme e estava prestes a se aposentar. Seus dois filhos guerreavam por causa da divisão do imóvel. Eles não se falavam havia oito anos, embora morassem bem próximos, na mesma ponta da fazenda. Conheci os irmãos, as mulheres e a irmã deles, todos mergulhados nessas questões legais complicadas e em oito anos de ressentimento.

Para fazer as coisas andarem — e respeitar meus horários —, tive de acelerar a mediação. A fim de evitar que eles gastassem tempo contando as mesmas histórias várias vezes, perguntei a um dos irmãos se eu poderia desempenhar o papel dele; depois, eu faria o papel do outro irmão.

Enquanto eu fazia a minha dramatização, brinquei sobre verificar com o "diretor" se eu estava desempenhando bem o meu papel. Olhando para o irmão cujo papel eu representava, vi algo que me surpreendeu: ele estava com lágrimas nos olhos. Imaginei que ele estivesse sentindo uma empatia profunda — tanto por ele mesmo, porque eu interpretava seu papel, quanto pelo sofrimento de seu irmão, que ele não havia visto até aquele momento. No dia seguinte, o pai veio a mim, também com lágrimas nos olhos, para dizer que na noite anterior toda a família saíra para jantar pela primeira vez em oito anos. Embora o conflito se arrastasse por anos, com advogados de ambos os lados trabalhando em vão para chegar a um acordo, tornou-se simples de resolver quando os irmãos ouviram o sofrimento e as necessidades de cada um deles revelados por meio da dramatização. Se eu tivesse esperado que ambos contassem sua história, a solução teria demorado muito mais.

Dramatize para acelerar a mediação.

Quando recorro a esse método, dirijo-me periodicamente à pessoa cujo papel estou desempenhando e chamo-a de "meu diretor", para conferir se estou indo bem. Por um tempo, achei que tivesse talento para atuar, porque muitas vezes via os clientes chorar e dizer: "É exatamente isso que estou tentando dizer!" Todavia, como comecei a treinar outras pessoas em dramatização, agora sei que qualquer um pode fazer isso se estiver consciente das próprias necessidades. Seja como for, todos temos as mesmas necessidades. As necessidades são universais.

Às vezes trabalho com pessoas que foram estupradas ou torturadas; quando o agressor está ausente, eu assumo o papel dele. Muitas vezes a vítima fica surpresa ao me ouvir dizer na dramatização a mesma coisa que ouviu do seu atacante, e me confronta com a pergunta: "Mas como você sabia?" Acredito que a resposta seja porque sou essa pessoa. E assim somos todos nós. Ao aplicarmos um cabedal de sentimentos e necessidades, não pensamos nos problemas, mas simplesmente nos colocamos no lugar da outra pessoa, tentando ser ela. Não nos passa pela cabeça "desempenhar bem o papel", embora, de tempos em tempos, recorramos ao "diretor", porque nem sempre acertamos. Ninguém acerta o tempo todo, e tudo bem. Se estivermos errados, a pessoa que estamos representando nos dirá de uma forma ou de outra. Então ganhamos outra oportunidade para fazer melhor.

Dramatizar é simplesmente colocar-se no lugar do outro.

Interrupções

Às vezes as mediações esquentam, e uma pessoa acaba gritando com a outra ou tentando se sobrepor à fala dela. Para controlar o processo em tais circunstâncias, precisamos ter segurança para interromper. Certa vez, quando eu fazia uma mediação em Israel e passava por maus momentos porque meu tradutor era muito educado, eu enfim o ensinei a ser desagradável: "Mande calarem a boca!" — ordenei. "Diga que pelo menos esperem fazermos a tradução antes de voltarem a gritar um com o outro." Então, quando ambos os lados estão gritando ou falando ao mesmo tempo, eu me imponho: *"Com licença, com licença, com licen-*

ça!" Repito isso bem alto, quantas vezes forem necessárias, até ganhar a atenção.

Quando ganhamos a atenção, precisamos ser rápidos. Se a pessoa reage com raiva ao interrompermos, podemos perceber que sua mágoa é grande demais para nos ouvir. Esse é o momento da empatia de primeiros socorros. Veja como esse tipo de empatia pode ser, com base neste exemplo de uma reunião de negócios.

INTERLOCUTOR	Isso acontece o tempo todo! Eles já convocaram três reuniões e toda vez arranjam uma nova explicação de por que isso não pode ser feito. Da última vez, eles até assinaram um acordo! Agora, mais uma promessa, e não vai passar disto: mais uma promessa! Não faz sentido trabalhar com pessoas que...
MEDIADOR	Com licença, com licença, COM LICENÇA! Você poderia me dizer o que o outro lado disse?
INTERLOCUTOR	[percebendo que não havia escutado o que fora dito] Não!
MEDIADOR	Então, você está muito desconfiado agora e realmente precisa ter a garantia de que os outros farão o que dizem?
INTERLOCUTOR	Bem, claro, mas...
MEDIADOR	Então, você poderia me dizer o que ouviu que eles disseram? Vou repetir para você. Ouvi o outro lado dizer que eles têm uma necessidade real de integridade. Você poderia só repetir isso, para que eu tenha certeza de que todos nos entendemos?
INTERLOCUTOR	[silêncio]
MEDIADOR	Não? Então vou dizer de novo.

E voltamos a dizer.

Podemos comparar o nosso papel com o de um tradutor — traduzir a mensagem de cada parte para que a outra a compreenda. Peço às partes que se acostumem com as minhas intervenções, que visam a resolver o conflito. Quando interrompo, também verifico se o interlocutor entende com fidelidade o que estou traduzindo. Traduzo muitas mensagens mesmo que esteja fazendo uma suposição, mas o falante é sempre a autoridade final quanto à exatidão da tradução.

O objetivo da interrupção é restaurar o processo.

É importante lembrar que o propósito de interromper e reconquistar a atenção das pessoas é retomar as observações, a identificação e a expressão de sentimentos, a ligação entre sentimentos e necessidades e fazer pedidos viáveis, por meio de uma linguagem de ação clara, concreta e positiva.

QUANDO SE RECUSA UM ENCONTRO CARA A CARA

Sou otimista com o que pode acontecer quando reunimos pessoas para expressar necessidades e pedidos. Todavia, um dos maiores problemas que encontrei é conseguir acesso a ambas as partes. Como às vezes uma delas demora para saber com clareza as próprias necessidades, os mediadores precisam de um acesso razoável aos dois lados para que se manifestem e ouçam em seguida as necessidades dos outros. Muitas vezes, o que ouvimos de alguém num conflito é: "Não, não adianta falar — eles não escutam. Eu tentei conversar e não deu certo".

Para resolver esse problema, busquei estratégias que resolvessem conflitos cujos envolvidos não estão dispostos a se encontrar. Um método que tem resultados promissores apoia-se no uso de um gravador. Eu trabalho com cada parte separadamente, assumindo o papel do lado ausente. Trata-se de uma opção para levar em conta quando há duas pessoas com um ressentimento tão grande que não querem se encontrar.

Por exemplo, uma mulher estava sofrendo demais por causa de um conflito com o marido, sobretudo pela maneira como ele voltava a raiva contra ela. Primeiro, escutei-a de um modo que a ajudou a manifestar claramente suas necessidades e sentir o que era ter compreensão e respeito. Então, assumi o papel do marido e pedi a ela que me ouvisse enquanto eu expressava o que supus serem as necessidades dele.

Depois que as necessidades das partes em conflito foram transmitidas com clareza por meio de dramatização, pedi à mulher que mostrasse a gravação ao marido para ver qual seria a reação dele.

Como adivinhei com exatidão as necessidades do marido, ele sentiu um enorme alívio ao ouvir a gravação. Com a confiança aumentada por ter sido entendido, ele concordou mais adiante em trabalharmos juntos até que os dois encontrassem maneiras de atender às suas necessidades com respeito.

Quando a coisa mais difícil na solução de um conflito é reunir as partes na mesma sala, o uso de dramatizações gravadas pode ser uma boa saída.

MEDIAÇÃO INFORMAL: METENDO O NARIZ NA VIDA DOS OUTROS

Mediação informal é uma forma educada de se referir à mediação de situações a que não fomos convidados. Falando claro, metemos o nariz na vida dos outros.

Certo dia, eu fazia compras num mercado quando vi uma mulher bater em seu filhinho. Ela estava prestes a bater de novo quando eu me meti. Ela não me pedira: "Marshall, você poderia intermediar este caso?" De outra vez, eu perambulava por Paris e uma mulher caminhava ao meu lado. Um homem um tanto bêbado veio correndo por trás, virou a mulher e deu-lhe um tapa no rosto. Como não havia tempo para eu conversar com esse homem, recorri à força para segurá-lo quando ele estava prestes a bater nela de novo. Eu me coloquei entre os dois e meti o nariz na vida deles. Em outro dia, numa reunião de negócios, observei duas facções trocando as mesmas acusações, discutindo sobre uma questão antiga, e mais uma vez meti o nariz no caso delas.

Quando presenciamos comportamentos que nos preocupam — se não for uma situação que exija o uso da força como proteção, conforme aborda o Capítulo 12 —, a primeira coisa que fazemos é demonstrar empatia pelas necessidades da pessoa que está se comportando de uma maneira que condenamos. No primeiro caso acima, se quiséssemos ver o menininho sofrer *mais* violência, em vez de demonstrar empatia pela mãe poderíamos dizer algo que indicasse o erro dela ao bater na criança. Tal reação da nossa parte apenas pioraria a situação.

Precisamos treinar muito para captar uma necessidade em qualquer mensagem.

Para sermos realmente úteis às pessoas quando metemos o nariz na vida delas, precisamos ter amplo cabedal de necessidades e muita prática para captar uma necessidade em qualquer mensagem, inclusive a necessidade por trás do ato de esbofetear uma pessoa. E precisamos ter prática de empatia verbal, para que os outros sintam que estamos ligados às necessidades deles.

Quando optamos por meter o nariz em assuntos alheios, devemos lembrar que não basta apenas apoiar certa pessoa para captar suas necessidades. O objetivo é pôr em prática todos os outros passos abordados neste capítulo. Por exemplo, depois de demonstrar empatia, podemos dizer à mãe da criança que nos preocupamos com segurança e sentimos necessidade de proteger as pessoas, e só depois pedir-lhe que se disponha a tentar outra estratégia a fim de suprir sua necessidade com o filho.

No entanto, deixamos de mencionar nossas necessidades quanto ao comportamento da pessoa até que lhe fique claro que entendemos e nos importamos com as necessidades *dela*. Em caso contrário, as pessoas não ligarão para as nossas necessidades nem perceberão que as delas e as nossas são idênticas. Como Alice Walker expressou de maneira tão bela em *A cor púrpura*: "Um dia, quando eu estava quieta e me sentindo órfã (coisa que eu realmente era), ela apareceu para mim — a sensação de fazer parte de tudo, de não estar separada de nada. Eu sabia que, se cortasse uma árvore, meu braço sangraria".

Se não assegurarmos que os dois lados estejam conscientes das próprias necessidades e das dos outros, será difícil termos sucesso quando metemos o nariz na vida alheia. É provável que nos considerem mesquinhos, por enxergarmos apenas a importância de atender às nossas necessidades. Quando um pensamento mesquinho se mistura ao pensamento de certo e errado, qualquer um de nós pode se tornar agressivo e violento, cego até mesmo para as soluções mais óbvias. Nesse ponto, o conflito parece insolúvel — e será, se não nos conectarmos com a outra pessoa demonstrando primeiro empatia, sem nos concentrarmos em nossas necessidades.

RESUMO

O uso da CNV para resolver conflitos difere dos métodos tradicionais de mediação. Em vez de deliberar sobre as questões, as estratégias e os meios para chegar a um acordo, nós nos concentramos principalmente na identificação das necessidades de ambos os lados, para depois buscarmos estratégias que atendam a essas necessidades.

Começamos por forjar um vínculo entre as partes em conflito. Então, confirmamos que ambas tenham a oportunidade de expressar por completo suas necessidades, que escutem atentamente as da outra pessoa e, uma vez ouvidas, expressem claramente as ações necessárias e viáveis para atender a elas. Evitamos julgar ou analisar o conflito e, ao contrário, permanecemos concentrados nas necessidades.

Quando um dos lados sofre demais para ouvir as necessidades do outro lado, aumentamos a empatia, demorando o tempo necessário para garantir que a pessoa saiba que sua mágoa está sendo ouvida. Não interpretamos um não como rejeição, mas como expressão da necessidade que impede a pessoa de dizer sim. Somente depois de os dois lados terem ouvido todas as necessidades do outro, avançamos para a etapa de soluções: fazer pedidos viáveis usando linguagem positiva de ação.

Quando assumimos o papel de mediadores de um conflito entre duas outras partes, aplicam-se os mesmos princípios. Além disso, controlamos cuidadosamente a evolução da mediação, ampliamos a empatia onde necessário, mantemos a conversa focada no presente, avançando e interrompendo quando necessário para retornar ao processo.

Com esses recursos e essa compreensão, podemos praticar a CNV e ajudar os outros a resolver conflitos de longa data para satisfação mútua das partes.

12 O uso da força para proteger

QUANDO É INEVITÁVEL USAR A FORÇA

Nos casos em que duas partes em disputa tiveram cada uma a oportunidade de expressar plenamente o que observam, sentem, precisam e pedem, e quando cada uma demonstrou empatia pela outra, em geral se pode chegar a uma solução que atenda às necessidades de ambas. No mínimo, os dois lados podem concordar de boa vontade em discordar.

Em algumas situações, porém, a oportunidade para um diálogo desses pode não existir, e o uso da força pode ser necessário para proteger a vida ou os direitos individuais. Por exemplo, a outra parte talvez não se disponha a falar, ou algum perigo iminente não dê tempo para que a comunicação ocorra. Nessas situações, às vezes recorremos à força. Se o fizermos, a CNV requer que diferenciemos o uso protetor do uso punitivo da força.

O RACIOCÍNIO POR TRÁS DO USO DA FORÇA

A intenção por trás do uso protetor da força é evitar danos ou injustiças. A intenção por trás do uso punitivo da força é fazer que as pessoas sofram por atos tidos como inadequados. Quando agarramos uma criança que está correndo para a rua para impedir que ela se machuque, estamos aplicando a força protetora. De outro lado, o uso da força punitiva implicaria, por exemplo, um ataque físico ou psicológico, como bater na criança ou dar-lhe uma bronca como: "Como você pôde ser tão idiota? Você deveria ter vergonha de si mesma!"

Quando empregamos o uso protetor da força, nós nos concentramos na vida ou nos direitos que desejamos proteger, sem julgarmos nem a pessoa, nem o comportamento. Não culpamos nem condenamos a criança que corre para a rua; nosso pensamento é dirigido apenas para protegê-la do perigo.

A intenção por trás do uso da força para proteger é apenas, como diz o nome, proteger — não é punir, culpar ou condenar.

(A respeito da aplicação desse tipo de força em conflitos sociais e políticos, consulte o livro *Nonviolent social defense* [*Defesa social não violenta*], de Robert Irwin.) A suposição por trás do uso protetor da força é que algumas pessoas se comportam de um modo prejudicial a si mesmas e aos outros, em razão de alguma forma de ignorância. Assim, o processo corretivo volta-se para a educação, não para a punição. A ignorância abrange (1) a inconsciência das consequências das ações, (2) a incapacidade de perceber que as necessidades pessoais podem ser atendidas sem prejudicar os outros, (3) a crença de que se tem o direito de punir ou ferir os outros porque eles "merecem" e (4) o delírio que envolve, por exemplo, ouvir uma voz que manda matar alguém.

A ação punitiva, por outro lado, baseia-se na suposição de que as pessoas fazem coisas ruins porque são más e, para corrigir a situação, é preciso fazer que se arrependam. Sua "correção" é efetiva por meio de ações punitivas idealizadas para fazê-las (1) sofrer até que percebam que seus atos foram errados, (2) arrepender-se e (3) mudar. Na prática, porém, é mais provável que as ações punitivas, em vez de gerar arrependimento e aprendizado, produzam ressentimento e hostilidade e alimentem a resistência ao próprio comportamento que tentamos impor.

TIPOS DE FORÇA PUNITIVA

O castigo físico, como bater nas pessoas, é um exemplo de uso punitivo da força. Descobri que o assunto do castigo corporal provoca fortes emoções entre os pais. Alguns defendem obstinadamente a prática, parafraseando a Bíblia: "Quem se nega a castigar seu filho não o ama! É porque os pais não batem mais nos filhos que a delinquência é hoje tão avassaladora". Eles estão convencidos de que bater nos filhos demonstra que os amamos, porque estabelece limites claros. Outros pais igualmente insistem que bater nas crianças demonstra falta de amor e é ineficaz, pois ensina a elas que, quando não restar alternativa, sempre poderemos recorrer à violência física.

Minha preocupação é que o medo que as crianças têm do castigo físico as impeça de perceber a compaixão que existe por trás das exigências dos pais. É comum os pais me dizerem que "têm de" usar a força punitiva porque não veem outro modo de predispor os filhos a fazer "o que é bom para eles". Reforçam sua opinião com histórias de crianças que se dizem felizes por terem "visto a luz" depois da punição. Tendo criado quatro filhos, sinto

> **O medo do castigo corporal impede que as crianças vejam a compaixão contida nas exigências dos pais.**

profunda empatia pelos pais no que diz respeito aos desafios diários que enfrentam para educar os filhos e mantê-los em segurança — entretanto, isso não diminui minha preocupação com o uso de castigos físicos.

Em primeiro lugar, eu me pergunto se as pessoas que proclamam o sucesso dessa punição conhecem os inúmeros casos de crianças que se voltam contra o que poderia ser bom para elas por escolherem lutar contra a coação, em vez de se curvarem a ela. Em segundo lugar, o sucesso aparente do castigo físico em predispor uma criança não significa que outros métodos não funcionem igualmente bem. Por fim, compartilho das preocupações de muitos pais a respeito das consequências sociais do uso dos castigos físicos. Quando escolhem usar a força, os pais podem ganhar a batalha de obrigar as crianças a fazer o que eles querem, mas não estariam dessa maneira perpetuando uma norma social que justifica a violência como meio para resolver diferenças?

Além do castigo físico, outras formas de uso da força podem ser consideradas punitivas. Uma delas é o uso da culpa para desacreditar outra pessoa — por exemplo, um pai pode rotular o filho de "errado", "egoísta" ou "imaturo" quando ele não se comporta de determinado modo. Outra forma de força punitiva é não conceder alguns meios de compensação, como a mesada ou a permissão para sair.

Punir também é atribuir rótulos que expressem julgamento e retirar privilégios.

Nesse sentido, a retirada do afeto ou do respeito é uma das ameaças mais fortes de todas.

O CUSTO DA PUNIÇÃO

Quando nos submetemos a algo apenas com o objetivo de evitar uma punição, desviamos a atenção do valor da ação. Passamos a nos concentrar nas consequências possíveis se deixarmos de fazer aquilo. Se o desempenho de um trabalhador é motivado pelo medo da punição, o serviço é feito, mas o moral cai; mais cedo ou mais tarde, a produtividade diminuirá. A autoestima também diminui quando se costuma punir. Se as crianças escovam os dentes porque sentem vergonha e medo do ridículo, sua saúde bucal pode melhorar, mas seu respeito por si mesmas ganhará cáries. Além disso, como todos sabemos, punições prejudicam muito a boa vontade. Quanto mais formos vistos como agentes punitivos, será mais difícil para os outros reagir com compaixão às nossas necessidades.

Quando tememos a punição, pensamos nas consequências, não em nossos valores.

O medo da punição diminui a autoestima e a boa vontade.

Eu estava visitando um amigo diretor de escola quando ele percebeu pela janela de sua sala um menino grande batendo em outro menor. "Com licença" — disse ele já correndo para o pátio. Agarrando o aluno maior, deu-lhe uma pancada e o repreendeu:

"Vou lhe ensinar a não bater em quem é menor!" Quando o diretor voltou para dentro, observei: "Não acho que você tenha ensinado àquela criança o que você pensou que estava ensinando. Acho que, em vez disso, o que ele aprendeu foi não bater em gente menor do que ele quando alguém maior — como o diretor — estiver vendo! Acho que, no máximo, você reforçou a ideia de que o jeito de obter o que se quer de alguém é bater nele".

Em situações como essa, recomendo em primeiro lugar mostrar empatia pela criança que se comporta com violência. Por exemplo, se eu visse uma criança bater em outra depois de ser xingada por esta, eu poderia externar minha empatia: "Você está com raiva porque gostaria de ser tratado com mais respeito?" Se eu tivesse deduzido corretamente e a criança confirmasse que era verdade, eu a seguir expressaria meus sentimentos, necessidades e pedidos nessa situação sem insinuar culpa: "Estou triste porque gostaria que encontrássemos maneiras de obter respeito que não tornem as pessoas inimigas. Quero que me diga se está disposto a explorar comigo outros modos de obter o respeito que você deseja".

AS LIMITAÇÕES DA PUNIÇÃO

Duas perguntas ajudam a perceber por que é improvável obter o que queremos se punirmos com o fim de mudar o comportamento de alguém. A primeira pergunta é: "O que eu quero que essa pessoa faça que seja diferente do que ela faz agora?" Se fizermos apenas essa primeira pergunta, a punição pode parecer eficiente, porque a ameaça ou o uso da força punitiva pode sem dúvida influenciar o comportamento da pessoa. Entretanto, com a segunda pergunta torna-se evidente que é improvável que a punição funcione: "Quais devem ser os motivos que eu quero que essa pessoa tenha para fazer o que eu peço?"

Primeira pergunta: o que eu quero que essa pessoa faça? Segunda pergunta: que motivos eu quero que essa pessoa tenha para fazê-lo?

É raro darmos atenção à segunda pergunta, mas, ao fazê-lo, logo percebemos que a punição e a compensação interferem na capacidade das pessoas de fazer as coisas pelos motivos que gostaríamos que elas tivessem.

Acredito ser fundamental estarmos cientes da importância das razões de uma pessoa para que se comporte como pedimos. Por exemplo, culpar ou punir obviamente não são estratégias eficazes se queremos que os filhos limpem o quarto ou por gostarem de ordem ou por desejarem contribuir para a ordem de que os pais gostam. Muitas vezes, as crianças limpam o quarto motivadas pela obediência à autoridade ("porque mamãe mandou"), para evitar uma punição ou por medo de aborrecer os pais ou ser rejeitadas por eles. A CNV, entretanto, estimula um nível de desenvolvimento moral fundado na autonomia e na interdependência, pelo qual reconhecemos a responsabilidade pelos próprios atos e temos consciência de que nosso bem-estar e o dos outros são uma coisa só.

O USO PROTETOR DA FORÇA NAS ESCOLAS

Quero descrever como alguns estudantes e eu usamos a força protetora para dar ordem a uma situação caótica numa escola especial. Essa escola foi idealizada para alunos que tinham abandonado ou sido expulsos de salas de aula comuns. A diretoria e eu esperávamos poder comprovar que uma escola inspirada nos princípios da CNV seria capaz de sensibilizar esses estudantes. Minha tarefa era treinar os professores na CNV e servir de consultor durante o ano. Com apenas quatro dias para preparar os docentes, não consegui esclarecer suficientemente a diferença entre CNV e permissividade. Por isso, alguns professores ignoravam conflitos e comportamentos inconvenientes, em vez de intervir. Acuados por um pandemônio crescente, a direção estava prestes a fechar a escola.

Quando pedi para conversar com os estudantes que mais contribuíram para os distúrbios, o diretor escolheu oito garotos de 11 a 14 anos para uma reunião comigo. A seguir, alguns trechos do diálogo que tive com os alunos.

MBR *[expressando meus sentimentos e minhas necessidades, sem sondar com perguntas]* Estou muito aborrecido com os relatos dos professores de que as coisas estão descontroladas em muitas das aulas. Eu gostaria muito que esta escola tivesse sucesso. Espero que vocês possam me ajudar a entender quais são os problemas e o que pode ser feito a respeito deles.
WILL Os professores desta escola são uns idiotas, cara!
MBR Will, você está dizendo que está revoltado com os professores e deseja que mudem algumas coisas que eles fazem?
WILL Não, cara. Eles é idiota porque só fica ensebando e não faz nada.
MBR Você quer dizer que está chateado porque quer que eles interfiram mais quando os problemas aparecem. *[Essa é a segunda tentativa de captar os sentimentos e as necessidades.]*
WILL É isso aí, cara. Não importa o que qualquer um faça, eles só fica parado aí sorrindo que nem idiota.
MBR Você poderia me dar um exemplo de como é os professores não fazerem nada?
WILL Fácil. Essa manhã mesmo, um carinha entrou na sala com uma garrafa de uísque no bolso da frente da calça, dando na vista. Todos viram aquilo; a professora também viu, mas fez de conta que não.
MBR Está me parecendo, então, que vocês não têm respeito pelos professores quando eles apenas ficam parados e não fazem nada. *[Essa foi outra tentativa de compreender melhor.]*
WILL Claro.
MBR Estou decepcionado, pois quero que eles sejam capazes de resolver as coisas com os alunos, mas parece que eu não fui capaz de mostrar a eles o que quis dizer.

A discussão voltou-se então para um problema urgente, o dos alunos que não queriam estudar e perturbavam quem queria.

MBR Estou ansioso para tentar resolver esse problema, porque os professores estão me dizendo que é o que mais os incomoda. Eu gostaria que vocês me contassem quaisquer ideias que tenham.

JOE O professor deveria usar um ratã *[bastão coberto de couro que alguns diretores de escola levavam em Saint Louis para aplicar castigos corporais]*.

MBR Joe, você está dizendo que quer que os professores batam nos alunos quando eles incomodarem os outros.

JOE Esse é o único jeito de os alunos pararem de se comportar que nem idiota.

MBR *[ainda tentando captar os sentimentos de Joe]* Então você duvida que qualquer outro meio possa funcionar.

JOE *[concorda com um gesto de cabeça]*

MBR Eu me sinto desestimulado se essa é a única maneira. Detesto esse modo de resolver as coisas e quero descobrir outros.

ED Por quê?

MBR Por várias razões. Por exemplo, se eu usar o ratã para fazer vocês pararem de aprontar na escola, gostaria que vocês me dissessem o que aconteceria se três ou quatro de vocês que tiverem apanhado na aula estiverem perto do meu carro na hora em que eu for para casa.

ED *[sorrindo]* Aí vai ser melhor ter um porrete bem grande, cara!

MBR *[Tendo certeza de que compreendi a mensagem de Ed e de que ele sabia disso, continuo, sem parafraseá-lo.]* Foi o que eu quis dizer. Gostaria que vocês percebessem que estou preocupado com essa maneira de resolver as coisas. Sou distraído demais para me lembrar de sempre carregar um porrete bem grande e, mesmo que eu me lembrasse, detestaria acertar alguém com ele.

ED Você poderia chutar o imbecil pra fora da escola.

| COMUNICAÇÃO NÃO VIOLENTA |

MBR   Você está sugerindo, Ed, que gostaria que nós suspendêssemos ou expulsássemos garotos da escola?

ED   Sim.

MBR   Também não gosto dessa ideia. Quero mostrar que existem outras maneiras de resolvermos as diferenças na escola, sem termos de expulsar as pessoas. Eu me sentiria um fracassado se isso fosse o melhor que pudéssemos fazer.

WILL   Se um carinha não tá fazendo nada de bom, como é que você não pode pôr ele numa sala de não fazer nada?

MBR   Você está dizendo, Will, que gostaria que tivéssemos uma sala para mandar os alunos que perturbassem os outros?

WILL   Isso aí. Não têm que ficar na sala de aula se não estão fazendo nada de bom.

MBR   Fiquei muito interessado nessa ideia. Gostaria de ouvir como você acha que uma sala dessas poderia funcionar.

WILL   Às vezes você vem pra escola e simplesmente sente vontade de zoar; não tem vontade de fazer nada de bom. Então, simplesmente teria uma sala onde os alunos ficam até ter vontade de fazer alguma coisa.

MBR   Estou entendendo o que você quer dizer, mas prevejo que o professor ficará preocupado em saber se os alunos irão de livre vontade para a sala de não fazer nada.

WILL   *[confiante]* Irão.

Eu disse que o plano poderia funcionar se conseguíssemos mostrar que o objetivo não era punir, mas oferecer um lugar para aqueles que não estavam com vontade de estudar e ao mesmo tempo dar oportunidade de estudar àqueles que estivessem dispostos a isso. Também sugeri que uma sala de não fazer nada teria mais chance de sucesso se as pessoas soubessem que a ideia tinha sido dos próprios alunos, não um decreto dos professores.

Criou-se uma sala de não fazer nada para os alunos que estivessem aborrecidos e sem vontade de fazer os trabalhos da escola, ou cujo comportamento impedisse os outros de aprender.

Às vezes, os alunos pediam para ir; às vezes, os professores pediam aos alunos que fossem. Colocamos a professora mais bem adaptada à CNV na sala de não fazer nada, onde ela teve algumas conversas muito produtivas com os garotos que foram para lá. Esse arranjo teve um imenso sucesso na restauração da ordem na escola, porque os alunos que o idealizaram tornaram sua finalidade clara para os colegas: proteger os direitos dos alunos que queriam aprender. Usamos o diálogo com eles para demonstrar aos professores que havia outros meios de resolver conflitos, além de ignorar o conflito ou usar de força punitiva.

RESUMO

Em situações em que não existe oportunidade de comunicação, como naquelas em que há perigo iminente, talvez precisemos recorrer à força para proteger. A intenção do uso protetor da força é evitar danos ou injustiças, nunca punir ou fazer que as pessoas sofram, se arrependam ou mudem. O uso punitivo da força tende a gerar hostilidade e reforçar a resistência ao comportamento que pretendemos obter. A punição diminui a boa vontade e a autoestima e desvia a atenção do valor intrínseco de uma ação para suas consequências externas. Culpar e punir não contribui para a motivação que gostaríamos de inspirar nos outros.

A humanidade
tem dormido
— e dorme ainda —
embalada pelas alegrias
estritamente restritivas
de seus amores autossuficientes.

Teilhard de Chardin,
teólogo e cientista

13 Conquistar a liberdade e aconselhar os outros

A LIBERTAÇÃO DE VELHOS CONDICIONAMENTOS

Todos aprendemos coisas que limitam nossa humanidade, seja com pais, professores, religiosos bem-intencionados, seja com outras pessoas. Transmitido através de gerações, até séculos, muito desse aprendizado cultural destrutivo está tão enraizado na vida que nem temos mais consciência dele. Num de seus números, o comediante Buddy Hackett, criado comendo a comida pesada da mãe, afirmou que até ter entrado no Exército nunca tinha percebido que era possível deixar a mesa sem sentir azia. Da mesma maneira, a dor ocasionada por condicionamentos culturais nocivos é tão intrínseca à nossa vida que não conseguimos mais perceber sua presença. É preciso uma energia e uma consciência enorme para reconhecer esse aprendizado destrutivo e transformá-lo em pensamentos e atitudes que valorizem e assegurem a vida.

Essa transformação exige um cabedal de necessidades e a capacidade de entrar em contato conosco — ambos difíceis para pessoas de nossa cultura. Não só nunca nos ensinaram sobre necessidades pessoais como também estamos quase sempre expostos a uma formação cultural que realmente impede essa conscientização. Como mencionei antes, herdamos uma linguagem que serviu a reis e elites poderosas em sociedades dominadoras. Desencorajaram a população de criar consciência de suas necessidades e a ensinaram a ser dócil e subserviente à autoridade. Nossa cultura insinua que as necessidades são negativas e destrutivas — a palavra *necessitado*, quando atribuída a uma pessoa, indica inadequação ou imaturidade. Quando manifestam suas necessidades, as pessoas são quase sempre rotuladas de "egoístas", e o uso do pronome pessoal *eu* muitas vezes é considerado sinal de egoísmo ou de carência.

Ao nos encorajar a distinguir observação de avaliação, reconhecer os pensamentos e as necessidades que dão forma aos sentimentos e expressar pedidos em linguagem clara de ação, a CNV aumenta a consciência do condicionamento cultural que nos influencia em qualquer momento. E trazer esse condicionamento à luz da consciência é um passo fundamental para acabar com o domínio dele sobre nós.

É possível libertar-nos do condicionamento cultural.

SOLUCIONAR CONFLITOS INTERNOS

Podemos aplicar a CNV para solucionar conflitos internos, que frequentemente resultam em depressão. No livro *The revolution in psychiatry* [*A revolução na psiquiatria*], Ernest Becker atribui a depressão a "alternativas reprimidas pelo intelecto". Isso significa que, quando transcorre dentro de nós um diálogo crítico, nós nos distanciamos do que precisamos e por esse motivo não conseguimos agir para atender a essas necessidades. A depressão é acarretada por um estado de dissociação das próprias necessidades.

Uma mulher que estudava CNV sofria de um surto de depressão profunda. Pediram-lhe que identificasse as vozes dentro de si quando se sentia mais deprimida e as transcrevesse em forma de diálogo, como se as vozes estivessem falando uma com a outra. As duas primeiras linhas de seu diálogo foram:

VOZ 1   [*a "profissional"*] Eu deveria fazer algo mais por minha vida. Estou desperdiçando minha formação e meus talentos.

VOZ 2   [a "mãe responsável"] Você não está sendo razoável. Você é mãe de dois filhos e não consegue nem dar conta dessa responsabilidade. Então, como pode dar conta de qualquer outra coisa?

Observe como essas mensagens interiores estão impregnadas de termos críticos como *deveria, desperdiçando minha formação e meus talentos* e *não consegue dar conta*. Variações desse diálogo ocorreram durante meses na cabeça daquela mulher. Então lhe pediram que imaginasse a voz da "profissional" tomando uma "pílula de CNV" para reformular sua mensagem deste modo: "Quando acontece *a*, sinto *b* porque preciso de *c*. Portanto, agora eu gostaria de *d*".

Mais tarde, ela substituiu "eu deveria fazer algo mais por minha vida. Estou desperdiçando minha formação e meus talentos" por "*Quando* passo o tempo necessário em casa com meus filhos sem exercer minha profissão, *sinto-me* deprimida e desestimulada porque *preciso* da realização que já tive em meu trabalho. *Portanto, agora gostaria* de encontrar um emprego de meio período em minha profissão".

Então chegou a vez de a voz da "mãe responsável" passar pelo mesmo processo. As frases iniciais — "Você não está sendo razoável. Você é mãe de dois filhos e não consegue nem dar conta dessa responsabilidade. Então, como pode dar conta de qualquer outra coisa?" — foram transformadas em: "*Quando* me imagino indo ao trabalho, *sinto* medo *porque preciso* ter certeza de que meus filhos serão bem cuidados. *Portanto, agora eu gostaria* de pensar em uma maneira de providenciar alguém que tenha boa indicação para meus filhos enquanto eu trabalho e encontrar tempo suficiente para ficar com eles quando não estiver cansada".

> **Se atentarmos para nossos sentimentos e necessidades e tivermos empatia por eles, nós nos livraremos da depressão.**

Essa mulher sentiu um imenso alívio assim que traduziu suas mensagens interiores para a CNV. Conseguiu penetrar nas entrelinhas das mensagens alienantes que repetia e oferecer empatia a si mesma. Embora ainda fosse enfrentar desafios práticos, como garantir um atendimento de qualidade aos filhos e o apoio do marido, ela não se sujeitava mais ao diálogo interior cheio de autocríticas que a impediam de ter consciência de suas necessidades.

CUIDAR DE NOSSO INTERIOR

Quando estamos enredados em pensamentos de crítica, culpa ou raiva, é difícil criar um meio interior saudável para nós mesmos. A CNV ajuda a criar um estado de espírito mais pacífico porque nos encoraja a nos concentrarmos naquilo que desejamos mesmo, não no que está errado com os outros ou conosco.

Uma participante de uma oficina de três dias de CNV relatou profunda transformação pessoal. Um de seus objetivos na oficina era cuidar melhor de si mesma, mas ela acordou na segunda manhã bem cedo com a pior dor de cabeça que se lembrava de ter tido nos últimos tempos. "Normalmente, a primeira coisa que eu faria seria analisar em que eu tinha errado. Será que comi algo que não devia? Deixei o estresse tomar conta de mim? Fiz isso, deixei de fazer aquilo? Mas, já que eu estava aprendendo a usar a CNV para cuidar melhor de mim mesma, perguntei: 'O que eu preciso fazer por mim mesma neste momento a respeito dessa dor de cabeça?'

Concentre-se no que deseja, não no que deu errado.

"Sentei na cama e fiz massagens muito lentas na nuca, depois me levantei e fiz outras coisas para cuidar de mim naquele exato momento, em vez de me maltratar. A dor de cabeça diminuiu a tal ponto que consegui ficar na oficina o dia inteiro. Essa foi uma transformação muito, muito grande para mim. O que compreendi quando entrei em empatia com a dor de cabeça foi que eu não dera atenção suficiente a mim mesma no dia anterior, e a dor de cabeça era uma maneira de me dizer 'preciso de mais atenção'. Acabei me dando a atenção que necessitava e consegui então participar da oficina. Tive dores de cabeça por toda a vida, e esse foi um ponto de transformação dos mais notáveis para mim."

Em outra oficina, um participante me perguntou como usar a CNV para nos libertar de pensamentos que provocam raiva quando estamos no trânsito. Aquele era um assunto familiar para mim! Durante anos, eu precisei viajar de carro a trabalho pelos Estados Unidos e ficava esgotado com meus pensamentos que incitavam violência. Todos os que não dirigiam segundo os meus parâmetros eram arqui-inimigos, vilões. Os pensamentos fervilhavam na minha mente: "Que diabo de problema esse cara tem?! Será que ele nem olha por onde está dirigindo?" Nesse estado de espírito, eu só queria punir o outro motorista. Já que não podia fazer isso, a raiva se alojava em meu corpo e cobrava seu preço.

Acabei aprendendo a traduzir minhas críticas em sentimentos e necessidades e a ter empatia por mim mesmo: "Rapaz, fico petrificado de medo quando as pessoas dirigem dessa maneira. Eu gostaria mesmo que eles percebessem como é perigoso fazer o que estão fazendo!" Uau! Fiquei impressionado de perceber como eu podia criar

Desarme o estresse voltando a atenção para seus sentimentos e necessidades.

uma situação menos estressante para mim mesmo apenas tomando consciência do que estava sentindo e necessitando, em vez de culpar os outros.

Mais adiante, decidi praticar a empatia pelos outros motoristas e fui recompensado com a primeira experiência gratificante. Fiquei retido atrás de um carro que ia muito abaixo do limite de velocidade e ainda desacelerava em cada cruzamento. Soltando fumaça e resmungando "isso não é jeito de dirigir", percebi o estresse que eu causava a mim mesmo e voltei o pensamento para o que o outro motorista poderia estar sentindo e necessitando. Percebi que a pessoa estava perdida, sentindo-se confusa e querendo que os motoristas que vinham atrás dela tivessem alguma paciência. Quando a estrada se alargou a ponto de eu poder ultrapassar, vi que o outro motorista era uma mulher perto dos 80 anos com expressão de terror no rosto. Fiquei feliz com minha tentativa de empatia, que me impediu de buzinar ou empregar minha tática habitual de demonstrar descontentamento com as pessoas cujo modo de dirigir me aborrecia.

Desarme o estresse criando empatia pelos outros.

TROCAR ANÁLISES PELA CNV

Muitos anos atrás, depois de ter investido nove anos de minha vida na formação e certificação necessárias para me qualificar como psicoterapeuta, deparei com um diálogo entre o filósofo israelense Martin Buber e o psicólogo americano Carl Rogers, em que Buber questionava se era possível praticar a psicoterapia no papel de um psicoterapeuta. Buber visitava os Estados Unidos na ocasião e fora convidado, juntamente com Carl Rogers, a participar de um debate num hospital psiquiátrico diante de um grupo de profissionais de saúde mental.

Nesse diálogo, Buber postulava que o crescimento pessoal ocorre por meio do encontro de dois indivíduos que se expressam de forma vulnerável e autêntica no que ele chamou de "relação eu-tu". Ele não acreditava ser provável a existência desse tipo de relação quando as pessoas se encontravam nos papéis de terapeuta e de paciente. Rogers concordava que a autenticidade era um pré-requisito do crescimento, mas sustentava que terapeutas esclarecidos poderiam optar por transcender seu papel e ter um encontro autêntico com os pacientes.

Buber era cético. Ele era de opinião que, embora os profissionais estivessem dispostos e fossem capazes de se relacionar com os pacientes de forma autêntica, tais encontros seriam impossíveis enquanto os pacientes continuassem a se ver como pacientes e a seus psicoterapeutas como psicoterapeutas. Ele observou que o próprio processo de marcar horário para se encontrar com alguém em seu consultório e pagar honorários para ser "consertado" reduzia a probabilidade de se desenvolver um relacionamento autêntico entre duas pessoas.

Esse diálogo esclareceu minha antiga ambivalência com relação ao distanciamento clínico — uma regra sacrossanta na terapia psicanalítica que me ensinaram. Normalmente, levar os próprios sentimentos e necessidades à psicoterapia era considerado um sinal de patologia do terapeuta. Os psicoterapeutas competentes deveriam afastar-se do processo terapêutico e funcionar apenas como um espelho em que os pacientes projetariam suas transferências, que então deveriam ser trabalhadas com a ajuda do psicoterapeuta. Eu compreendia a teoria quanto a deixar os processos interiores do psicoterapeuta fora da terapia e ele se proteger do perigo de abordar conflitos internos à custa do paciente. Entretanto, eu sempre me sentira incômodo ao manter a distância emocional necessária e, ainda por cima, acreditava nas vantagens de me integrar ao processo.

Em vez de interpretar os clientes, estabeleci empatia com eles; em vez de diagnosticá-los, expus-me.

Assim, comecei a experimentar substituir a linguagem clínica pela da CNV. Em vez de interpretar o que meus pacientes diziam de acordo com as teorias da personalidade que eu estudara, tornei-me receptivo às palavras deles e os escutei com empatia. Em vez de diagnosticá-los, revelei o que acontecia dentro de mim. No início foi assustador. Fiquei preocupado com a reação dos colegas à autenticidade com que eu entrava em diálogo com os pacientes. Todavia, os resultados foram tão gratificantes tanto para os pacientes quanto para mim que logo superei qualquer hesitação. Desde 1963, o conceito de integrar-se inteiramente na relação paciente-terapeuta deixou de ser herético, mas, quando comecei a trabalhar dessa maneira, recebi muitos convites para falar a grupos de psicoterapeutas que me desafiavam a demonstrar esse novo papel.

Uma vez, um grande número de profissionais de saúde mental reunidos num hospital psiquiátrico estadual me chamou para a demonstrar como a CNV poderia ajudar no aconselhamento de pessoas sofridas. Depois de minha apresentação de uma hora, pediram que eu entrevistasse uma paciente e desse uma avaliação e recomendação de tratamento. Conversei com a mãe de três filhos, de 29 anos, por cerca de meia hora. Depois que ela deixou o recinto, a equipe responsável pelo atendimento a ela apresentou suas perguntas: "Dr. Rosenberg" — disse seu psiquiatra —, "por favor, faça um diagnóstico diferencial. Em sua opinião, essa mulher manifesta uma reação esquizofrênica ou esse é um caso de psicose provocada por drogas?"

Respondi que não me sentia à vontade com as perguntas. Mesmo quando trabalhava num hospital psiquiátrico durante minha formação, nunca soube bem onde encaixar as pessoas nas classificações diagnósticas. Desde então eu havia lido pesquisas que falavam da falta de consenso entre psiquiatras e psicólogos quanto a esses termos. Os estudos concluíam que o diagnóstico de pacientes em hospitais psiquiátricos dependia mais da escola que o psiquiatra cursara do que das características dos pacientes.

Eu relutaria em aplicar esses termos, continuei, mesmo que houvesse um uso coerente, porque não conseguia ver como eles beneficiariam os pacientes. Na medicina alopática, a identificação do processo patológico que criou a doença muitas vezes dá uma conduta clara para o tratamento, mas eu não percebia essa mesma relação no campo que chamamos de saúde mental. Por experiência própria com reuniões para discutir de casos em hospitais, a equipe gastava a maior parte do tempo deliberando a respeito do diagnóstico. Quando o tempo disponível ameaçava esgotar-se, o psiquiatra responsável pelo caso poderia solicitar aos demais que o ajudassem a elaborar um plano de tratamento.

Essa solicitação costumava ser ignorada, em favor de nova discussão sobre o diagnóstico.

Expliquei ao psiquiatra que, em vez de pensar no que há de errado com um paciente, a CNV me leva a fazer as seguintes perguntas a mim mesmo: "O que essa pessoa está sentindo? De que ela precisa? Como estou me sentindo em relação a essa pessoa e que necessidades estão por trás desses sentimentos? Que ação ou decisão eu pediria a essa pessoa que tomasse, acreditando que isso a faria viver mais feliz?" Já que nossas respostas a essas perguntas revelariam muito de nós mesmos e de nossos valores, nós nos sentiríamos muito mais vulneráveis do que se apenas diagnosticássemos uma pessoa.

Em outra ocasião, fui chamado para demonstrar como a CNV poderia ser ensinada a pessoas com diagnóstico de esquizofrenia crônica. Com cerca de 80 psicólogos, psiquiatras, assistentes sociais e enfermeiros na plateia, 15 pacientes com aquele diagnóstico foram reunidos no palco. Quando me apresentei e expliquei a finalidade da CNV, um dos pacientes teve uma reação que me pareceu irrelevante ao que eu estava dizendo. Ciente de que ele tinha o diagnóstico de esquizofrênico crônico, sucumbi à mentalidade clínica e presumi que minha incapacidade de compreendê-lo se devia à confusão mental dele. "Você parece estar com dificuldade para acompanhar o que estou dizendo" — observei.

Então, outro paciente interveio: "Eu entendo o que ele disse". Então, passou a explicar a relevância das palavras do outro no contexto de minha introdução. Reconhecendo que o homem não estava confuso, mas eu simplesmente não compreendera a relação entre nossos pensamentos, fiquei decepcionado com a facilidade com que eu atribuíra a ele a responsabilidade pela falta de comunicação. Gostaria de ter clareza sobre meus sentimentos, dizendo, por exemplo: "Estou confuso. Gostaria de entender a relação entre o que eu disse e sua resposta, mas não consigo. Você poderia explicar como o que você disse tem relação com o que eu disse?"

Exceto esse breve desvio para a mentalidade clínica, a sessão com os pacientes prosseguiu com sucesso. A equipe, impressionada com a reação dos pacientes, perguntou-se se eu considerava aquele grupo de pacientes mais cooperativo do que o habitual. Respondi que, quando eu evitava diagnosticar as pessoas e preferia permanecer ligado à vida que transcorria dentro delas e em mim mesmo, as pessoas geralmente reagiam de maneira positiva.

Um membro da equipe então pediu que se realizasse uma sessão semelhante, como experiência de aprendizado, com alguns dos psicólogos e psiquiatras. Nisso, os pacientes que estiveram no palco trocaram de lugar com vários voluntários da plateia. Ao trabalhar com a equipe, tive dificuldade para explicar a um psiquiatra a diferença entre a compreensão intelectual e a empatia da CNV. Sempre que alguém do grupo manifestava seus sentimentos, ele apresentava sua compreensão da dinâmica psicológica desses sentimentos, em vez de mostrar empatia por eles. Quando isso aconteceu pela terceira vez, um dos pacientes na plateia explodiu: "Você não vê que está fazendo a mesma coisa de novo? Está interpretando o que ela está dizendo, em vez de ter empatia pelos sentimentos dela!"

Ao adotarmos as aptidões e a consciência da CNV, podemos aconselhar os outros em encontros genuínos, abertos e mútuos, em vez de recorrermos a relações profissionais caracterizadas por distanciamento emocional, diagnósticos e hierarquia.

RESUMO

A CNV melhora a comunicação interior por ajudar a traduzir mensagens negativas internas em sentimentos e necessidades. A capacidade de distinguir os próprios sentimentos e necessidades e de ter empatia por eles pode tirar-nos da depressão. Ao mostrar como nos concentrarmos naquilo que realmente desejamos, em vez daquilo que está errado com os outros ou conosco, a CNV nos dá os recursos e a compreensão para criar um estado de espírito mais pacífico. Os assistentes sociais e os psicoterapeutas também podem utilizar a CNV para criar relacionamentos recíprocos e autênticos com os pacientes.

 ## CNV EM AÇÃO

Abordagem de ressentimento e autocrítica

Um estudante de comunicação não violenta compartilha a história a seguir.

Eu acabara de voltar de meu primeiro treinamento de residência em CNV. Uma amiga que eu não encontrava havia dois anos me esperava em casa. Conheci Iris, que fora bibliotecária de escola durante 25 anos, durante um retiro de duas semanas na natureza que culminara num jejum solitário de três dias nas Montanhas Rochosas. Depois de escutar minha descrição entusiasmada da CNV, Iris revelou que ainda estava magoada com o que uma das guias de campo no Colorado lhe dissera seis anos antes. Eu me lembrava claramente daquela pessoa: Leav, o bicho do mato, com as palmas das mãos sulcadas por cortes das cordas que seguraram firmemente seu corpo pendurado na montanha. Ela interpretava excrementos de animais, uivava no escuro, dançava de alegria, proclamava suas verdades e mostrou as nádegas para o nosso ônibus quando nos despedimos pela última vez. O que Iris ouvira Leav dizer durante uma das sessões da verdade pessoal foi o seguinte: "Iris, não suporto gente como você, o tempo todo tão gentil e meiga, sempre a frágil bibliotecariazinha que você é. Por que não deixa disso e cresce?"

Iris já passara seis anos ouvindo a voz de Leav na cabeça e, durante todo esse tempo, respondera a ela mentalmente. Estávamos ambos ansiosos para descobrir como a conscientização da CNV poderia mudar aquela situação. Interpretei o papel de Leav e repeti sua frase para Iris.

IRIS   *[esquecendo-se da CNV, ouve crítica e recriminação]* Você não tem o direito de me dizer isso. Você não sabe que tipo de pessoa ou de bibliotecária eu sou! Levo minha profissão a sério e, para sua informação, me considero uma educadora como qualquer professora...

EU *[consciente da CNV, escutando com empatia, no papel de Leav]* Está me parecendo que você está zangada porque quer que eu conheça e reconheça quem você realmente é antes de criticá-la. É isso mesmo?

IRIS Isso mesmo! Você não tem a mínima ideia de quanto me custou só para me inscrever nessa caminhada. Olhe! Aqui estou: consegui terminar, não foi? Enfrentei todos os desafios desses 14 dias e superei todos!

EU Eu ouvi que você está magoada e gostaria de ter ganhado algum reconhecimento e valorização por todo o seu esforço e sua coragem?

Seguiram-se alguns diálogos, e depois Iris mostrou uma mudança — muitas vezes essas mudanças podem ser observadas fisicamente quando uma pessoa sente-se "escutada" como desejava. Por exemplo, a pessoa pode relaxar e inspirar fundo nesse momento. Isso indica em geral que a pessoa sentiu a empatia esperada e pode agora desviar a atenção para outra coisa que não o sofrimento que expressara. Às vezes, ela está pronta para ouvir os sentimentos e as necessidades do interlocutor. Outras vezes é preciso mais uma rodada de empatia para se voltar para outro ponto de sofrimento na pessoa. Nessa situação com Iris, pude perceber que outra parte dela precisava de atenção antes que fosse capaz de escutar Leav. Isso porque Iris tivera seis anos para se recriminar por não ter dado uma resposta louvável no momento. Depois da mudança sutil, ela prosseguiu imediatamente.

IRIS Que droga! Eu devia ter dito tudo isso a ela seis anos atrás!
EU *[como eu mesmo, um amigo empático]* Você está frustrada porque gostaria de ter-se exprimido melhor na ocasião?
IRIS Eu me sinto uma idiota! Eu sabia que não era uma "frágil bibliotecariazinha", mas por que não disse isso a ela?

EU	Então você gostaria de ter estado consciente de si mesma para conseguir dizer isso?
IRIS	Sim. E também estou furiosa comigo! Gostaria de não ter deixado que ela me maltratasse.
EU	Você gostaria de ter sido mais assertiva do que foi?
IRIS	Exatamente, preciso me lembrar de que tenho o direito de me orgulhar daquilo que sou.

Iris ficou calada alguns segundos. Então disse estar pronta para praticar a CNV e escutar de forma diferente o que Leav lhe disse.

EU	*[representando o papel de Leav]* Iris, não suporto gente como você, o tempo todo tão gentil e meiga, sempre a frágil bibliotecariazinha que você é. Por que você não deixa disso e cresce?
IRIS	*[captando o sentimento, a necessidade e os pedidos de Leav]* Ah, Leav, parece que você está bastante frustrada... frustrada porque... porque eu...

Aqui Iris se flagra num engano comum. Ao utilizar a palavra *eu*, ela atribui o sentimento de Leav a si mesma, em vez de a algum desejo de Leav que gerou o sentimento. Isto é, em vez de "você está frustrada porque eu tenho um jeito diferente", queria ter dito "você está frustrada porque queria de mim uma coisa diferente".

IRIS	*[tentando de novo]* Está bem, Leav, parece que você está bastante frustrada porque quer... hã... quer...

Ao tentar identificar-me sinceramente com Leav em minha dramatização, de repente senti um lampejo de consciência do que eu, na pele de Leav, ansiava por obter:

EU	Ligação!... É o que estou querendo! Quero me sentir ligada... a você, Iris! E estou tão frustrada com toda essa

meiguice e gentileza, que só atrapalham, que eu quero acabar com elas para poder realmente impressionar você!

Sentamos os dois um tanto atordoados depois daquela explosão, e então Iris disse: "Se eu soubesse que era isso o que ela queria, se ela tivesse conseguido me dizer que o que ela desejava era uma ligação de verdade comigo... Puxa, quero dizer, isso parece quase amor". Embora ela nunca tenha encontrado a verdadeira Leav para confirmar essa percepção, depois daquela sessão prática de CNV Iris obteve uma solução interior para esse conflito persistente e passou a achar mais fácil escutar com uma nova conscientização quando as pessoas à sua volta lhe diziam coisas que ela antes teria interpretado como "recriminações".

[...] quanto mais você se tornar perito em gratidão, menos será vítima de ressentimento, depressão e desespero. A gratidão agirá como um elixir que gradualmente dissolverá a casca dura de seu ego — sua necessidade de possuir e controlar — e o transformará num ser generoso. A sensação de gratidão produz uma verdadeira alquimia espiritual, nos torna magnânimos — de alma ampla.

SAM KEEN, filósofo

14 Fazer elogios na comunicação não violenta

A INTENÇÃO POR TRÁS DO ELOGIO

"Você fez um trabalho muito bom nesse relatório."
"Você é uma pessoa muito sensível."
"Foi muito gentil de sua parte me oferecer carona para casa ontem à noite."

Frases como essas costumam ser pronunciadas como elogio na comunicação alienante da vida. Talvez você esteja surpreso que eu considere elogios e cumprimentos dissociados da vida. Observe, porém, que o reconhecimento declarado dessa maneira revela pouco do que acontece no interior de quem o faz e dá a este o direito de julgar. Defino os julgamentos, tanto positivos quanto negativos, como parte da comunicação alienante da vida.

Elogios muitas vezes são julgamentos dos outros, ainda que positivos.

Nos treinamentos em empresas, costumo encontrar gerentes que defendem a prática do elogio e do cumprimento alegando que "funciona". "As pesquisas" — afirmam — "mostram que se um gerente parabeniza os subordinados, estes se esforçam mais. E o mesmo ocorre nas escolas: se os professores elogiam os alunos, estes estudam mais". Eu analisei essas pesquisas e acredito que quem recebe esse tipo de elogio de fato se esforça mais, mas

243

apenas inicialmente. Assim que perceberem a manipulação por trás do reconhecimento, sua produtividade cairá. No entanto, o que mais me perturba é que a beleza do reconhecimento se desvirtua quando as pessoas começam a perceber a intenção dissimulada de conseguir algo delas.

Além disso, quando damos um retorno positivo para influenciar alguém, pode não ficar claro como ele recebe a mensagem. Há um cartum em que um índio americano diz ao outro: "Veja como uso a psicologia moderna com esse cavalo!" Ele então leva o amigo para um lugar de onde o cavalo pode escutar a conversa e exclama: "Tenho o cavalo mais rápido e mais corajoso de todo o Oeste!" O cavalo parece triste e diz para si mesmo: "E agora? Ele saiu e comprou outro cavalo".

Expresse o reconhecimento como uma comemoração, não manipulação.

Quando usamos a CNV para expressar reconhecimento é apenas para comemorar, não para obter algo em troca. Nossa única intenção é celebrar que nossa vida melhorou por causa dos outros.

OS TRÊS COMPONENTES DO RECONHECIMENTO

A CNV distingue claramente três componentes ao manifestar um reconhecimento:
1. As ações que contribuíram para o bem-estar.
2. As necessidades específicas que foram supridas.
3. Os sentimentos agradáveis gerados pelo atendimento dessas necessidades.

Dizer "obrigado" na CNV:
"Isso é o que você fez; isso é o que eu sinto; essa é a minha necessidade que foi atendida".

A sequência desses tópicos pode variar. Às vezes, todos os três são expressos por um sorriso ou por um simples "obrigado". Entretanto, se queremos garantir que nosso reconhecimento seja plenamente recebido, vale a pena desenvolver a eloquência para expressar verbalmente todos os três componentes. O diálogo a seguir ilustra como elogios podem ser transformados num reconhecimento que abrange os três componentes.

PARTICIPANTE	*[abordando-me no fim de uma oficina]* Marshall, você é brilhante!
MBR	Não consigo desfrutar o seu reconhecimento tanto quanto gostaria.
PARTICIPANTE	Por quê? O que você quer dizer?
MBR	Ao longo da vida, já fui qualificado com uma infinidade de nomes, mas não me lembro de ter aprendido nada quando dizem o que sou. Gostaria de aprender com seu reconhecimento e desfrutá-lo, mas para isso eu preciso de mais informações.
PARTICIPANTE	Como o quê?
MBR	Em primeiro lugar, gostaria de saber o que eu disse ou fiz que tornou sua vida mais maravilhosa.
PARTICIPANTE	Bem, você é tão inteligente...
MBR	Creio que você tenha acabado de fazer outro julgamento, que ainda me deixa sem saber o que fiz para tornar sua vida mais maravilhosa.
PARTICIPANTE	*[pensa um pouco e então mostra as anotações que fez durante a oficina]* Veja nestes dois exemplos. Foram essas duas coisas que você disse.
MBR	Ah, então foram essas duas coisas que eu disse que você apreciou.
PARTICIPANTE	Sim.
MBR	Agora, gostaria de saber como você se sente por eu ter dito essas duas coisas.
PARTICIPANTE	Esperançosa e aliviada.
MBR	Agora eu gostaria de saber quais necessidades suas foram atendidas quando eu disse essas duas coisas.
PARTICIPANTE	Tenho um filho de 18 anos e não consigo me comunicar com ele. Procurei desesperadamente alguma

orientação que pudesse ajudar a me relacionar com ele de forma mais amorosa, e essas duas coisas que você disse me deram a orientação que eu procurava.

Tendo ouvido as três informações — o que fiz, como ela se sentiu e quais de suas necessidades foram satisfeitas —, pude então comemorar o reconhecimento juntamente com a participante. Se ela tivesse expressado de início seu reconhecimento pela CNV, poderia ter sido assim: "Marshall, quando você disse estas duas coisas [mostrando-me suas anotações], senti muita esperança e alívio, porque tenho procurado uma maneira de estabelecer uma ligação com meu filho e isso me deu a orientação que procurava".

RECEBENDO RECONHECIMENTO

Muitos não recebem bem um reconhecimento. É uma tortura imaginar se o merecemos. Ficamos preocupados com o que se espera de nós — sobretudo se temos professores ou gerentes que usam o elogio como instrumento para estimular a produtividade. Ou ficamos nervosos por termos de corresponder ao reconhecimento. Acostumados com uma cultura em que comprar, ganhar e merecer são os padrões de interação, muitas vezes nos sentimos incômodos com o simples ato de dar e receber.

A CNV estimula receber o reconhecimento com o mesmo caráter empático que expressamos ao escutar outras mensagens. Ouvimos o que fizemos que contribuiu para o bem-estar dos outros; atentamos para seus sentimentos e as necessidades que foram supridas. Acolhemos no coração a feliz realidade de que cada um de nós pode melhorar a qualidade de vida dos outros.

Aprendi a receber bem os reconhecimentos com meu amigo Nafez Assailey. Ele era membro de um grupo de palestinos que eu convidara a ir à Suíça para um treinamento em CNV, numa época em que as precauções de segurança haviam tornado impossível treinar grupos mistos de palestinos e israelenses em qualquer um de seus respectivos territórios. Ao final da oficina, Nafez veio falar comigo: "Esse treinamento será muito valioso para trabalharmos pela paz em nossa terra" — reconheceu. "Gostaria de agradecer a você da maneira que nós, muçulmanos sufis, fazemos quando desejamos expressar uma especial apreciação de alguma coisa". Pressionando seu polegar no meu, ele me olhou nos olhos e disse: "Beijo o Deus em você que permite que nos dê o que deu". Aí, beijou minha mão.

A expressão de agradecimento de Nafez me ensinou uma maneira diferente de receber o reconhecimento. Geralmente, ela é recebida de uma de duas posições opostas. Em um extremo está o egocentrismo: acreditar que somos superiores porque fomos reconhecidos. Em outro extremo está a falsa humildade, negando a importância do reconhecimento com desmerecimento: "Ah, não foi nada".

Receba o elogio sem se sentir superior e sem falsa modéstia.

Nafez me mostrou que eu poderia receber um reconhecimento com alegria, ciente de que Deus deu a todos o poder de enriquecer a vida dos outros. Se tenho consciência de que é esse poder de Deus operando através de mim que me dá o poder de enriquecer a vida dos outros, então posso evitar tanto a armadilha do ego quanto a falsa humildade.

Golda Meir, quando primeira-ministra de Israel, repreendeu certa vez um de seus ministros: "Não seja tão humilde; você não é tão importante". O texto a seguir, atribuído à escritora contemporânea Marianne Williamson, serve de outro lembrete para que eu evite a armadilha da falsa humildade:

> *Nosso maior medo não é sermos ineptos. Nosso maior medo é sermos poderosos além da conta.*
> *É nossa luz, não nossas trevas, que nos amedronta. Você é um filho de Deus. Sua pretensa humildade não contribui para o mundo.*

> *Não há nada de iluminado em se encolher para que as outras pessoas não se sintam inseguras perto de você.*
> *Nascemos para manifestar a glória de Deus que está em nós. Não apenas em alguns de nós, mas em todos.*
> *E, ao deixarmos nossa luz brilhar, damos inconscientemente aos outros permissão para fazer o mesmo.*
> *Quando nos libertamos do medo, nossa presença automaticamente liberta os outros.*

ÂNSIA POR RECONHECIMENTO

Paradoxalmente, apesar de certo desconforto ao receber elogios, a maioria anseia ser reconhecida e cumprimentada com sinceridade. Durante uma festa-surpresa realizada para mim, um amigo de 12 anos de idade sugeriu um joguinho para ajudar a apresentar os convidados uns aos outros. Deveríamos escrever uma pergunta e colocá-la numa caixa. Depois, uma a uma, as pessoas sorteariam uma pergunta e a responderiam em voz alta.

Por ter sido consultor de várias agências assistenciais e indústrias, fiquei impressionado com a frequência com que as pessoas falavam da falta de reconhecimento no trabalho. "Não importa o esforço que se faça" — suspiravam —, "nunca se ouve uma palavra agradável de ninguém. Mas basta cometer um único erro e lá vem alguém caindo em cima." Então, escrevi uma pergunta para aquele jogo: "Que tipo de elogio alguém poderia fazer para levar você a pular de alegria?"

Uma mulher tirou essa pergunta de dentro da caixa, leu-a e começou a chorar. Como diretora de um abrigo para mulheres vítimas de violência doméstica, ela devotava uma energia considerável todos os meses para criar uma programação que agradasse ao maior número possível de pessoas. No entanto, todas as vezes que a programação era apresentada, alguém sempre reclamava. Ela não conseguia se lembrar de jamais ter recebido um reconhecimento por seu esforço para elaborar uma programação conveniente. Tudo isso passara por sua cabeça enquanto ela lia minha pergunta, e a ânsia por reconhecimento a levou às lágrimas.

Ao ouvir a história daquela mulher, outro amigo meu disse que ele também gostaria de responder à pergunta. Todos os demais então pediram sua vez; vários choraram ao responder.

Embora a ânsia por reconhecimento — em contraponto a "afagos" manipulativos — seja evidente sobretudo no trabalho, ela também afeta a vida familiar. Numa noite, quando apontei que ele deixara de executar uma tarefa doméstica, meu filho Brett respondeu: "Papai, você tem consciência de quantas vezes você diz o que está errado, mas quase nunca diz o que está certo?" Sua observação calou fundo em mim.

Tendemos a registrar o que está dando errado, não o que está dando certo.

Percebi que estava o tempo todo procurando melhorias, mas mal parava para comemorar as coisas que iam bem. Eu tinha acabado de terminar uma oficina com mais de cem participantes, e todos tinham feito uma avaliação muito boa da oficina, com exceção de uma pessoa. Entretanto, o que ficara em minha mente fora a insatisfação daquela única pessoa.

Naquela noite, escrevi uma canção que começava assim:

Se for 98% perfeito
em tudo que eu fizer,
só me lembrarei
dos 2% em que errei.

Ocorreu-me que eu tinha, em vez disso, uma opção de adotar a perspectiva de uma professora que conheci. Um de seus alunos, não tendo estudado para a prova, resignou-se a entregar uma folha em branco com seu nome no alto. Mais tarde, ele ficou surpreso quando a professora lhe devolveu a prova com a nota de 14%. "Por que eu tive 14%?" — perguntou ele, incrédulo. "Pelo capricho" — respondeu a professora. Desde o "toque de despertador" de meu filho Brett venho tentando tomar mais consciência do que os outros à minha volta fazem que me enriquece a vida e tentado aguçar minha aptidão de expressar esse reconhecimento.

SUPERAR A RELUTÂNCIA EM EXPRESSAR RECONHECIMENTO

Fiquei profundamente comovido com um trecho do livro de John Powell *O segredo do amor eterno*, no qual ele descreve sua tristeza por não ter conseguido durante a vida do pai expressar quanto o exaltava. Como me parece doloroso perder a chance de reconhecer as pessoas que foram as maiores influências positivas de nossa vida!

Imediatamente, veio-me à lembrança meu tio Julius Fox. Quando eu era menino, ele ia todos os dias prestar atendimento de enfermagem à minha avó, que estava totalmente paralisada. Enquanto cuidava dela, sempre tinha um sorriso caloroso e amoroso no rosto. Não importava que o serviço parecesse desagradável aos meus olhos de menino, meu tio a tratava como se minha avó estivesse lhe fazendo o maior favor do mundo por permitir que ele cuidasse dela. Isso me deu um maravilhoso modelo de força masculina, ao qual recorri muitas vezes desde então.

Eu me dei conta de que nunca havia expressado apreço por meu tio, que então estava doente e prestes a morrer. Pensei em fazer isso, mas pude sentir minha resistência: "Tenho certeza de que ele já sabe quanto significa para mim, não preciso dizer isso em voz alta. Além do mais, ele pode ficar constrangido se eu traduzir esse reconhecimento em palavras". Assim que tais pensamentos me entraram na cabeça, soube que não eram verdadeiros. Eu presumira inúmeras vezes que os outros sabiam da intensidade de meu apreço por eles, e mais tarde descobri que não sabiam. E, mesmo quando as pessoas ficavam constrangidas, elas ainda assim queriam ouvir o apreço verbalizado.

Ainda hesitante, disse a mim mesmo que palavras não poderiam fazer justiça à profundidade do que eu desejava transmitir. No entanto, compreendi rápido esse pensamento: sim, as palavras podem ser veículos limitados para transmitir a realidade que sentimos no coração, mas, como aprendi, "tudo que vale a pena fazer vale a pena ser feito limitadamente!"

No fim das contas, logo me vi sentado junto ao tio Julius numa reunião de família, e as palavras simplesmente fluíram para fora de mim. Ele as recebeu com alegria e sem constrangimento. Exultante com os sentimentos daquela noite, voltei para casa, escrevi um poema e mandei-o a ele. Mais tarde me disseram que todos os dias até morrer, três semanas depois, meu tio pedia que lhe lessem o poema.

RESUMO

Cumprimentos convencionais costumam tomar a forma de julgamentos, ainda que positivos, e às vezes são feitos com a intenção de manipular o comportamento dos outros. A CNV nos encoraja a expressar apreço somente para celebrar. Declaramos (1) a ação que contribuiu para o nosso bem-estar, (2) a necessidade específica que foi satisfeita e (3) o sentimento de prazer gerado em consequência disso.

Quando recebemos reconhecimento expresso dessa maneira, podemos aceitá-lo sem nenhum sentimento de superioridade ou falsa humildade, celebrando juntamente com a pessoa que nos transmite seu apreço.

Epílogo

Certa vez perguntei a meu tio Julius como ele desenvolvera uma capacidade tão notável de entregar-se com compaixão. Ele pareceu sentir-se honrado com a pergunta, sobre a qual refletiu antes de responder isto: "Tive a sorte de ter bons professores". Quando perguntei quem tinham sido eles, ele lembrou: "Sua avó foi a melhor professora que tive. Você viveu com ela quando ela já estava doente, de modo que não pôde saber como ela realmente era. Por exemplo, sua mãe já lhe contou sobre a ocasião, durante a Depressão, em que ela levou um alfaiate, a mulher e dois filhos deles para viverem com ela por três anos, depois que o homem perdeu a casa e o negócio?" Eu me lembrava bem dessa história. Ela me deixara muito impressionado quando minha mãe a contou pela primeira vez, porque nunca consegui entender como minha avó havia encontrado espaço para a família do alfaiate quando ela já criava os nove filhos numa casinha de tamanho modesto!

Tio Julius relembrou a compaixão de minha avó em outras histórias, todas as quais eu havia escutado quando criança. Então perguntou:

"Com certeza, sua mãe deve ter-lhe contado sobre Jesus".

"Sobre quem?"

"Jesus."

"Não, ela nunca me falou de Jesus."

A história sobre Jesus foi o derradeiro presente precioso que recebi de meu tio antes de ele morrer. É uma história verdadeira da vez em que um homem bateu à porta dos fundos de minha avó pedindo um pouco de comida. Não era incomum. Embora minha avó fosse muito pobre, toda a vizinhança sabia que ela dava comida a qualquer um que aparecesse à porta. O homem tinha barba e cabelos pretos rebeldes e despenteados; suas roupas estavam em farrapos e ele usava uma cruz pendurada no pescoço, feita de galhos amarrados com corda.

Minha avó o convidou a entrar em sua cozinha para comer algo e, enquanto ele comia, perguntou seu nome.

"Meu nome é Jesus" — respondeu.

"E o senhor tem sobrenome?" — perguntou ela.

"Eu sou Jesus, o Senhor". (O inglês de minha avó não era muito bom. Outro tio, Isidor, me disse em outro dia que entrou na cozinha quando o homem ainda estava comendo e vovó apresentou o estranho como "seu Ossenhor"...)

Enquanto o homem ainda comia, minha avó lhe perguntou onde morava.

"Não tenho casa."

"Bem, onde o senhor vai passar esta noite? Está frio."

"Não sei".

"O senhor gostaria de ficar aqui?" — ofereceu ela.

Ele ficou sete anos.

Quanto à comunicação não violenta, minha avó tinha um dom natural. Ela nem pensou em quem "era" aquele homem. Se o tivesse feito, provavelmente o julgaria louco e teria se livrado dele. Mas, não, ela pensava no que as pessoas sentem e daquilo de que precisam. Se têm fome, alimente-as. Se não têm um teto sobre a cabeça, dê-lhes um lugar para dormir.

Minha avó adorava dançar, e minha mãe se lembra dela dizendo sempre: "Nunca ande quando puder dançar". E, assim, encerro este livro a respeito da linguagem da compaixão com uma canção a respeito de minha avó, que falava e vivia a linguagem da comunicação não violenta.

*Um dia, um homem chamado Jesus
surgiu à porta de minha avó.
Pediu um pouco de comida,
ela não o deixou mais só.*

*Ele disse que era Jesus, o Senhor;
ela não foi a Roma confirmar.
Ele ficou por vários anos,
assim como muitos sem lar.*

*Foi com seu jeito judaico
que ela me ensinou o que Jesus tinha para dizer.
Daquele modo precioso,
ela me ensinou o que Jesus tinha para dizer.
E era: "Alimente os famintos, cure os doentes,
e então se dê um tempinho.
Nunca ande quando puder dançar;
faça de sua casa um cômodo ninho".*

*Foi com seu jeito judaico
que ela me ensinou o que Jesus tinha para dizer.
Daquele modo precioso
ela me ensinou o que Jesus tinha para dizer.*

VOVÓ E JESUS, de Marshall B. Rosenberg

Bibliografia

ALINSKY, Saul D. *Rules for radicals: a practical primer for realistic radicals*. Nova York: Random House, 1971.
ARENDT, Hannah. *Eichmann in Jerusalem: a report on the banality of evil*. Nova York: Viking Press, 1963. [*Eichmann em Jerusalém: um relato sobre a banalidade do mal*. Trad. José Rubens Siqueira. São Paulo: Companhia das Letras, 2016.]
BECKER, Ernest. *The revolution in psychiatry: the new understanding of man*. Nova York: Free Press, 1964.
_____. *The birth and death of meaning*. Nova York: Free Press, 1971.
BENEDICT, Ruth. "Synergy-patterns of the good culture". *Psychology Today*, jun. 1970.
BOSERUP, Anders; MACK, Andrew. *War without weapons: nonviolence in national defense*. Nova York: Schocken, 1975.
BOWLES, Samuel; GINTIS, Herbert. *Schooling in capitalist America: educational reform and the contradictions of economic life*. Nova York: Basic Books, 1976.
BUBER, Martin. *I and thou*. Nova York: Scribner, 1958. [*Eu e tu*. Trad. Newton Aquiles von Zuben. São Paulo: Centauro, 2001.]
CRAIG, James; CRAIG, Marguerite. *Synergic power*. Berkeley: Proactive Press, 1974.
DASS, Ram. *The only dance there is*. Nova York: Harper, Row, 1974.
DASS, Ram; BUSH, Mirabai. *Compassion in action: setting out on the path of service*. Nova York: Bell Tower, 1992.
DASS, Ram; GORMAN, Paul. *How can I help? Stories and reflections on service*. Nova York: Knopf, 1985. [*Como posso ajudar? His-*

tórias e reflexões sobre serviço. Trad. Renate Molz. São Leopoldo (RS): Sinodal; Petrópolis (RJ): Vozes, 1990.]

DOMHOFF, William G. *The higher circles: the governing class in America*. Nova York: Vintage, 1971.

ELLIS, Albert; HARPER, Robert A. *A guide to rational living*. Wilshire Book Co., 1961.

FREIRE, Paulo. *Pedagogy of the oppressed*. Trad. Myra Bergman Ramos. Nova York: Herder and Herder, 1970. [*Pedagogia do oprimido*. 50. ed. São Paulo: Paz e Terra, 2011.]

FROMM, Erich. *Escape from freedom*. Nova York: Holt, Rinehart; Winston, 1941. [*O medo à liberdade*. Trad. Octavio Alves Filho. Rio de Janeiro: Guanabara, 1986.]

_____. *The art of loving*. Nova York: Harper; Row, 1956. [*A arte de amar*. Trad. Eduardo Brandão. São Paulo: Martins Fontes, 2000.]

GARDNER, Herb. "A thousand clowns". In: *The collected plays*. Nova York: Applause Books, 2000.

GENDLIN, Eugene. *Focusing*. Nova York: Everest House, 1978. [*Focalização: uma via de acesso à sabedoria corporal*. Trad. Carlos S. Mendes Rosa. São Paulo: Gaia, 2006.]

GLENN, Michael; KUNNES, Richard. *Repression or revolution*. Nova York: Harper & Row, 1973.

GREENBURG, Dan; JACOBS, Marcia. *How to make yourself miserable for the rest of the century: another vital training manual*. Nova York: Vintage Books, 1987. [*Como enlouquecer você mesmo: o poder do pensamento negativo*. São Paulo: 34, 1999.]

HARVEY, O. J. *Conceptual systems and personality organization*. Nova York: Harper; Row, 1961.

HILLESUM, Etty. *A diary, 1941-1943*. Londres: Jonathan Cape, 1983. [*Uma vida interrompida: os diários de Etty Hillesum*. Trad. Antônio C. G. Penna. Rio de Janeiro: Record, 1986.]

HOLT, John. *How children fail*. Nova York: Pitman, 1964.

HUMPHREYS, Christmas. *The way of action: a working philosophy for Western life*. Nova York: MacMillan, 1960.

IRWIN, Robert. *Nonviolent social defense.* Nova York: Harper & Row, 1962.

_____. *Building a peace system: explanatory project on the conditions of peace.* Expro Press, 1989.

JOHNSON, Wendell. *Living with change: the semantics of coping.* Nova York: Harper & Row, 1972.

KATZ, Michael. *Class, bureaucracy and the schools: the illusion of educational change in America.* 2. ed. Nova York: Frederick A. Preager, 1975.

KATZ, Michael (org.). *School reform: past and present.* Boston: Little, Brown & Co., 1971.

KAUFMANN, Walter. *Without guilt and justice: from decidophobia to autonomy.* Nova York: P. H. Wyden, 1973.

KEEN, Sam. *To a dancing God.* Nova York: Harper & Row, 1970.

_____. *Hymns to an unknown God: awakening the spirit in everyday life.* Nova York: Bantam, 1994.

KELLY, George A. *The psychology of personal constructs.* 2 v. Nova York: Norton, 1955.

KORNFIELD, Jack. *A path with heart: a guide through the perils and promises of spiritual life.* Nova York: Bantam, 1993. [*Um caminho com o coração.* Trad. Merle Scoss e Melania Scoss. São Paulo: Cultrix, 1997.]

KOZOL, Jonathan. *The night is dark and I am far from home.* Boston: Houghton-Mifflin, 1975.

KURTZ, Ernest; KETCHAM, Katherine. *The spirituality of imperfection: modern wisdom from classic stories.* Nova York: Bantam, 1992.

KUSHNER, Harold. *When bad things happen to good people.* Nova York: 92nd Street Y, 1982. [*Quando coisas ruins acontecem às pessoas boas.* Trad. Francisco de Castro Azevedo. São Paulo: Nobel, 2003.]

LYONS, Gracie. *Constructive criticism.* Oakland, CA: IRT Press, 1976.

MAGER, Robert. *Preparing instructional objectives.* Belmont, Califórnia: Fearon-Pitman, 1975. [*A formulação de objetivos de ensino.* Trad. Cosete Ramos; Débora Karam Galarza. Porto Alegre: Globo, 1983.]

Maslow, Abraham. *Toward a psychology of being.* Princeton: Van Nostrand, 1962. [*Introdução à psicologia do ser.* Trad. Álvaro Cabral. Rio de Janeiro: Livraria Eldorado Tijuca, s/d.]

_____. *Eupsychian management.* Homewood, Illinois: Richard D. Irwin, 1965.

McLaughlin, Corinne; Davidson, Gordon. *Spiritual politics: changing the world from the inside out.* Nova York: Ballantine, 1994.

Milgram, Stanley. *Obedience to authority: an experimental view.* Nova York: Harper & Row, 1974. [*Obediência e autoridade: uma visão experimental.* Trad. Luiz Orlando Coutinho Lemos. Rio de Janeiro: Francisco Alves, 1983.]

Postman, Neil; Weingartner, Charles. *Teaching as a subversive activity.* Delacorte Press, 1969. [*Contestação: nova fórmula de ensino.* Rio de Janeiro: Expressão e Cultura, 1978.]

_____. *The soft revolution: a student handbook for turning schools around.* Nova York: Delacorte Press, 1971.

Powell, John. *Why am I afraid to tell you who I am?* Chicago: Argus, 1969. [*Por que tenho medo de lhe dizer quem sou?* Trad. Clara Feldman de Miranda. Belo Horizonte: Crescer, 1999.]

_____. *The secret of staying in love.* Niles, Illinois: Argus, 1974. [*O segredo do amor eterno.* Trad. Carlos A. Gohn *et al.* Belo Horizonte: Crescer, 1993]

Putney, Snell. *The conquest of society: sociological observations for the autonomous revolt against the autosystems which turn humanity into servo-men.* Belmont, Califórnia: Wadsworth, 1972.

Robben, John. *Coming to my senses.* Nova York: Thomas Crowell, 1973.

Rogers, Carl. "Some elements of effective interpersonal communication". Reprodução mimeografada de palestra apresentada no California Institute of Technology, Pasadena (Califórnia, EUA), 9 nov. 1964.

_____. *Freedom to learn: a view of what education might become.* Columbus, Ohio. Charles E. Merrill, 1969. [*Liberdade para aprender.* Trad. Edgar de Godói da Mata Machado e Marcio Paulo de Andrade. Belo Horizonte: Interlivros, 1971.]

_____. *Carl Rogers on personal power.* Nova York: Delacorte Press, 1977. [*Sobre o poder pessoal.* Trad. Wilma Millan Alves Penteado. São Paulo: Martins Fontes, 1986.]

_____. *A way of being.* Nova York: Houghton Mifflin, 1980, p. 12. [*Um jeito de ser.* Trad. Maria Cristina Machado Kupfer, Heloísa Lebrão, Yonne Souza Patto. São Paulo: Ed. Pedagógica e Universitária, 1983.]

ROSENBERG, Marshall. *Mutual education: toward autonomy and interdependence.* Seattle: Special Child Publications, 1972.

RYAN, William. *Blaming the victim.* Nova York: Vintage, 1976.

SCHEFF, Thomas (org.). *Labeling madness.* Englewood Cliffs, Nova Jersey: Prentice-Hall, 1975.

SCHMOOKLER, Andrew Bard. *Out of weakness: healing the wounds that drive us to war.* Nova York: Bantam, 1988.

SHARP, Gene. *Social power and political freedom.* Boston: Porter Sargent, 1980.

STEINER, Claude. *Scripts people live: transactional analysis of life scripts.* Nova York: Grove Press, 1974. [*Os papéis que vivemos na vida.* Rio de Janeiro: Artenova, 1976.]

SZASZ, Thomas. *Ideology and insanity: essays on the psychiatric dehumanization of man.* Nova York: Doubleday, 1970. [*Ideologia e doença mental: ensaios sobre a desumanização psiquiátrica do homem.* Trad. José Sanz. Rio de Janeiro: Zahar, 1980.]

TAGORE, Rabinzdranath. *Sadhana: the realization of life.* Tucson (Arizona, EUA): Omen, 1972. [*Sadhana: o caminho da realização.* São Paulo: Paulus, 1994.]

WALKER, Alice. *The color purple.* Nova York: Harcourt Brace Jovanovich, 1992(?). [*A cor púrpura.* Trad. Peg Bodelson, Betulia Machado e Maria Jose Silveira. São Paulo: Marco Zero, 1986.]

Índice remissivo

A
aconselhamento 119
   veja também psicoterapia; autoconsciência
   uso da CNV 24, 239-42
acusação
   aos outros 185
   origem de raiva 185
agressividade 217
   atenuada pela CNV 125, 126
   consigo mesmo 163
   diante de críticas 53, 179
"alternativas reprimidas pelo intelecto" 230
Amtssprache 38, 169
análise
   como julgamento 33-35
   de erros próprios 232
   dos outros 48, 73-75, 75, 91, 173-74
   entendida como crítica 199-200
   troca pela CNV 234-38
   veja também julgamentos
aprovação
   como motivação 167-68
Arendt, Hannah 38
Assailey, Nafez 246
atenção
   componente da CNV 19-21, 22-23
atos dos outros e desculpa 38
autoaconselhamento 230-34
   veja também autocompaixão
autocompaixão 130-31, 142, 157-164

autoconsciência 229-232
autocrítica 239-242
   e sofrimento 158
   tradução pela CNV 160
autoestima 21
   efeitos de julgamentos 70
   punição e 35, 222
autonomia
   e a CNV 224
   necessidade de 75, 111-13
autopunição 158-160, 161
avaliação
   versus solução pacífica de conflitos 202

B
babble-on-ian 149
Bebermeyer, Ruth 15, 21, 47, 48, 91
Becker, Ernest 230
Bernanos, George 40
Buber, Martin 118, 234
Buechner, Frederick 45

C
Campbell, Joseph 126-27
casamento
   expressão de sentimentos 58-59
   paráfrase e 128, 132-36
   responsabilidade pelos sentimentos dos outros 79-80
   uso da CNV no 24-25
causa
   versus estímulo de sentimentos 69, 171-78

263

celebração
  necessidade de 75
Chardin, Teilhard de 228
Chiang-tsé 117
Chopra, Deepak 6
CNV
  fundamentos 19-24, 106-7, 120
  modelo 22-24, 230-32
CNV em ação, diálogos
  aconselhamento de terceiros 239-42
  apresentação 28-29
  campo de refugiados de Deishé 29-31
  conflito pai-filho 186-91
  gravidez na adolescência 84-87
  marido agonizante 132
  "palestrante arrogante" 52-54
  pedido de amigo de fumante 111-13
compaixão
  comportamentos que impedem a 118-19
  comunicação que impede a 33--37
  comparação
  tipo de comportamento 119
comparações
  como julgamento 36-37
compensação
  como motivação 167
comportamento
  pretexto para 37-40
  tipos de 118-19
compromisso
  satisfação *versus* 194
comunhão espiritual
  necessidade de 76
comunicação alienante 33-40, 174--76, 243-44
  outras formas de 41-42
comunicação compassiva 19, 41
condição e histórico pessoal
  como desculpa 38

condicionamento cultural 229-230
conflito
  aplicação da CNV em 24
  veja também solução de conflitos
consciência 148, 173, 174, 186, 230
  essência da CNV 20-24, 230
conselho 118, 125
  distinção entre empatia e 118-119
consolo
  tipo de comportamento 119
controle *veja* dominação
conversa chata 149-51
correção
  tipo de comportamento 119
crença
  em consertar situações 119-20
  na culpa dos outros 173
  sobre grupos raciais e étnicos 181-84
  sobre os sexos 77-78
crítica 73, 197, 199
  veja também análise; julgamentos
Croácia 28
culpa
  como motivação 21, 35, 70, 72--73, 104-5, 160, 163-65, 169, 172-73
  como punição 222
  de si mesmo 69-70, 158-60
  dos outros 70, 75, 120
  e família 120
  e necessidades não atendidas 120-21, 185
  por autocrítica 165
  raiva e 70, 171-74, 232-34

D
depreciação
  tipo de comportamento 119
depressão 70, 95-97, 230-32
  por autocrítica 161

desculpa diante de crítica 53
dever
  como motivação 164-65, 169-70
  "deveria" 159-60, 169, 230-32
  veja também "ter de"
dinheiro como motivação 167
Diskin, Lia 5
dominação 42, 142, 229
dramatização
  na mediação 60, 211-12, 215

E
Eichmann, Adolf 38, 169
elogios
  comunicação alienante e 243-45
empatia
  definição 117
  de primeiros socorros 130, 209, 213
  e o papel do mediador 209, 213, 216
  manter a 129-30
  na solução de conflitos 203-4
  oferecer primeiro 181-84
  para afastar o perigo 144-47
  poder curativo da 139-41
  por si mesmo 130-31, 142, 157--70, 233
  versus conselho 118-19, 124-25
  veja também escuta
encorajamento
  empatia e 118
ensino *veja* escolas
entrega pessoal 17-22, 21, 35, 73
Epiteto 69
escolas
  pedidos de ação 92-4
  pedidos *versus* exigências 108-9
  uso da CNV em 24-26, 49-50
  uso protetor da força nas 224-28
escolha
  rejeição da 169-70
  escravidão emocional e libertação 79-83

escuta
  empatia ao ouvir não 148-49
  veja também CNV em ação; paráfrase; recepção empática
estímulo
  versus causa de sentimentos 69, 171-78
estratégias 197-200, 201, 204-5, 216-17
exagero linguístico 52
exigência
  que impede a compaixão 41
  versus pedido 104-6
explicação
  tipo de comportamento 119
expressão
  de pedidos 113-15
  de sentimentos e necessidades 57--67, 81-83, 86-89, 95-97, 101-2, 132-36
  pelo silêncio 150, 151
  por empatia 150
expressão sexual 77

F
família
  crítica e 120-21
  empatia e 118-19, 129-30
  exigências e 41, 94-95
  pedidos e 91-92, 94-95, 98-99
  raiva e 186-91
  pedidos em 94, 107
  responsabilidade pessoal 39
  uso da CNV na 24, 185
força
  punitiva 219-24
  uso protetor 219-20
  uso protetor nas escolas 224-27
  uso punitivo 220-22
forças obscuras
  como desculpa comportamental 38
Fox, Julius 250

G
Gandhi 11, 19
gangues
  uso da CNV com 131, 142-44
Gardner, Herb 157
Greenburg, Dan 36, 37
guerra 28, 200
  do Vietnã 92
  Guerra Fria 36

H
Hackett, Buddy 229
Hammarskjöld, Dag 130-31
Harvey, O. J. 35
Hillesum, Etty 18
humildade 247
  no exercício do poder 41
Humphrey, Holley 118-19

I
idade
  negação de responsabilidade 38
ilegitimidade, estigma da 84-87
impulsos
  responsabilidade pessoal e 39
instrução
  tipo de comportamento 119
integridade
  necessidade de 75
interdependência
  necessidade de 75
Irwin, Robert 220
Israel 27, 28, 29
israelenses e palestinos
  uso da CNV com 27, 74-75
  veja também palestinos

J
Jesus 253-55
Johnson, Wendell 46-47
juízos de valor 35
  veja também juízos morais
juízos morais 42, 161
julgamentos
  necessidades insatisfeitas e 73, 160, 174-75, 185
  na forma de comparação 36-37
  na forma de elogio 243-44
  origem de raiva 185
  para punir 158-60
  precipitados 179
  versus observações 46-48
  veja também mensagens negativas

K
Keen, Sam 242
Krishnamurti, J. 48
Kushner, Harold 119

L
lazer
  necessidade de 76
linguagem
  contra conscientização 37-39, 61-63, 71-72, 229-30
  clínica 234-238
  de inação 207
  dinâmica *versus* linguagem estática 46, 47-48
  fator de violência 17-19, 35-36, 42, 174-76
  na apresentação de estratégias 197
  na psicoterapia 234-37
  no presente 205
  observação *versus* avaliação 46, 50-52
  papel crucial na compaixão 18-19
  para solucionar conflitos 204-5
  positiva de ação 91-97, 111, 193, 205-6, 214
  verbos de ação e 206-7
  vocabulário de sentimentos 57, 59-60, 64-65
lucro como motivação 21
luto 75, 160-62

M

May, Rollo 57
McEntire, Reba 58
mediação
   andamento do processo 210-12
   atenção total 209-210
   cerne da 196
   confiança no processo 208
   conversa no presente e 210
   dramatização e 60, 211-12, 215, 239-42
   empatia na 196, 209, 213, 215-16
   foco nos outros 208-9
   informal 215-17
   interrupções 212-13
   papel do mediador 208-17
   recusa de encontro pessoal 214-15
   veja também solução de conflitos
medicina
   uso da CNV em clínica 26
medo
   como motivação 21, 35, 164-65
Meir, Golda 247
mensagens negativas
   comunicação e 59, 91-92, 178
   quatro opções com 69-73, 173-74, 178
merecimento
   como conceito alienante 41, 78, 178, 185, 220
mesquinhez
   de pensamento 217
mulheres
   direitos pessoais e 77-79

N

não violência
   definição 19
necessidades
   cabedal de 198, 212, 216, 229
   componente da CNV 22
   de reconhecimento 248-50
   dos outros 70, 120-28, 200-2, 215-17
   escuta de 203-4, 216
   estratégias e 197-99, 201, 204-5, 216-17
   exercício de reconhecimento 87-89
   físicas 76-77
   humanas básicas 75-77
   insatisfeitas 73-75, 160-64, 185-91
   interdependência 194
   julgamentos como expressão de 34, 73-75, 126, 160-61, 173-76, 185-86
   mágoa que impede a escuta 203-4, 213
   modelo da CNV 22
   negação das 77-78
   ocultas 33-34, 141-44
   passos da CNV e 196
   próprias 70, 165-67, 233-34
   reconhecimento e 244-46
   sentimentos gerados por 64-65, 73-77, 160-61
   universais 144, 183, 212
Nigéria 27

O

obrigação 164-65, 168-70
   veja também "deveria"; "ter de"
observação
   CNV em ação 52-54
   componente da CNV 22, 230
   exercícios 54-55
   sem avaliação 46-52
ódio como motivação 160
opção 37-40, 159, 165-67
ordem como desculpa 38

P

Palestina 27, 28
palestinos
   uso da CNV com 29-31

veja também israelenses e palestinos
papéis sociais 38
paráfrase 29-31, 122-28, 132-36
   clareza da 124
   em forma de pergunta 122
   para confirmar uma mensagem 122-28
pedido 112
   a grupo 102-4
   CNV em ação 111-13
   componente da CNV 22
   consciente 97-99
   de confirmação 99-101, 182
   definição do objetivo 106-10
   distinção entre exigência e 104-6
   de sinceridade 101-2
   exercícios 113-15
   linguagem positiva de ação e 91-97
perdão
   a si mesmo 162-64
pergunta
   tipo de comportamento 119
   na paráfrase 122-23
   para reflexão 98-99
permissividade
   CNV versus 224
política institucional
   como desculpa 38
posição social
   papéis determinados por 38
Powell, John 250
presença 29, 117-20
presídios
   uso da CNV em 176-79
pressão do grupo
   como desculpa 38
psicoterapia
   e papel do psicoterapeuta 119-20, 151-53, 196, 234-38
punição
   compensação e 41-42
   custo da 222-23
   limitações da 223-24
   para evitar 168
   por "merecimento" 173
   suposições para 36, 220
   tipos de 220-21

Q
questões raciais e étnicas 180, 181-84
CNV e 60-61, 92-94, 102-4

R
raiva
   CNV em ação 186-91
   como motivação 140, 163
   e rejeição 148
   evitar o confronto 146
   expressão plena da 180-81
   motivos de 185
   necessidades não atendidas e 174-79, 183
   no trânsito 233-34
   por crítica 70
   por "culpa" dos outros 173
   por falta de apoio 78, 133
recepção empática 136-38
   veja também empatia; paráfrase
reconhecimento
   ânsia por 248-50
   de necessidades profundas 142-44
   dos próprios sentimentos 69
   manipulação por trás do 244
   pessoal e do outro 198-99, 240, 243-48
   recebimento de 246-47
   verdadeiro 246
   veja também apreço; elogios
"relação eu-tu" (Buber) 234-35
relacionamentos pessoais
   escuta empática 120-22
   expressar sentimentos 58-59
   paráfrase 123-25, 128, 132-36
   uso da CNV nos 184-86

veja também família; pedidos
religião 27
respeito
   importância do 207
responsabilidade
   linguagem que mascara a 38-39, 95-96, 171-74
   negação de 37-40
   pelos próprios sentimentos 37-38, 69-73, 171-74
   pelos sentimentos dos outros 79-80
respostas conscientes
   versus respostas automáticas 19-20
ressentimento 239-42
Rogers, Carl 139, 234, 260
rótulos 33-36, 42-43, 48, 158-59
   "bom" e "mau" 35-36
   origem de raiva 185
   veja também julgamentos
Ruanda 27
Rumi 34

S

sentimentos
   componente da CNV 22
   dos outros 70, 79-81, 101-2
   em pedidos 98-99, 101-2
   em reconhecimento 244
   expressão de 57-61, 66-67
   não sentimentos e 58-59, 61-63
   necessidades e 64-65, 73, 120-22, 160
   normas culturais e 125
   próprios 70, 161, 233-34
   responsabilidade pelos 69-73
   vocabulário 64-65
Serra Leoa 27
sexo
   papéis sociais determinados pelo 38
silêncio
   resposta ao 60-61, 151-55

sinceridade
   no modelo da CNV 24
   pedido de 101-2
situações perigosas
   uso da CNV em 144-47
sociedades hierárquicas
   e comunicação alienante 42
sofrimento
   como punição 158
solidariedade
   tipo de comportamento 119
solução de conflitos
   antigos 198-99
   empatia e 139
   escuta e 203
   etapas da 196-97
   "insolúveis" 194, 217
   internos 230-32
   necessidades, estratégias e análises 197-203
   objetivo da 194
   obstáculo da mágoa e 203-4
   papel do mediador e 208-14
   pela CNV 193-207
   percepção das necessidades e 200-2
   respeito e 207
   traduzir o não 207-8
   uso de verbos de ação 205-7
   versus mediação tradicional 194-96
submissão 40, 104

T

televisão
   violência e 36
"ter de" 38-40, 159-60, 165-67, 169, 221
trabalho
   uso da CNV no 59, 95, 127

V

verbos de ação
   uso de 205-7

vergonha 159
   como motivação 21, 35, 70, 160, 163, 164-65
   por autocrítica 165
vínculo humano 193-96, 217
violência 179
   contra si mesmo 157-60
   em reação a julgamentos 174-75
   linguagem e 17-19, 35-36
   neutralizada pela CNV 144-47
   veja também comunicação alienante da vida

vocabulário de sentimentos 59-60, 64-65
vulnerabilidade 31, 36, 60-61, 142, 189

W

Walker, Alice 216
Weil, Pierre 5
Weil, Simone 118
Williamson, Marianne 247-48
Williams, Sam 185-86

Agradecimentos

Sou grato por ter podido estudar e trabalhar com o professor Carl Rogers na época em que ele pesquisava os componentes de um relacionamento de apoio. Os resultados dessa pesquisa desempenharam papel fundamental no desenvolvimento do processo de comunicação que descreverei neste livro.

Serei eternamente grato ao professor Michael Hakeem por ter me ajudado a perceber as limitações científicas e os riscos sociais e políticos de praticar a psicologia como fui formado: um modo de entender os seres humanos com base em patologias. Por ver as limitações desse modelo, senti-me estimulado a procurar um modo de praticar uma psicologia diferente, fundada na crescente clareza a respeito de como nós, seres humanos, devemos viver.

Também sou grato a George Miller e a George Albee por seu empenho em alertar os psicólogos quanto à necessidade de encontrar maneiras melhores de "ofertar a psicologia". Eles me ajudaram a compreender que a enorme quantidade de sofrimento em nosso planeta requer modos mais eficazes de disseminar as habilidades tão necessárias que podem ser oferecidas por uma abordagem clínica.

Gostaria de agradecer a Lucy Leu a edição deste livro e a criação do original definitivo; a Rita Herzog e Kathy Smith, a ajuda no processo de edição, e a Darold Milligan, Sonia Nordenson, Melanie Sears, Bridget Belgrave, Marian Moore, Kittrell McCord, Virginia Hoyte e Peter Weismiller, outros tipos de ajuda.

Por fim, gostaria de manifestar minha gratidão à amiga Annie Muller. Seu encorajamento para que eu fosse mais claro quanto aos fundamentos espirituais de meu trabalho fortaleceu minha obra e enriqueceu minha vida.

Marshall B. Rosenberg

Anexos

As quatro partes do processo de comunicação não violenta

Expressar claramente como **eu sou**, sem culpa nem crítica	Receber com empatia como **você é**, sem culpa nem crítica.

OBSERVAÇÕES

1. O que eu observo *(vejo, escuto, recordo, imagino, sem avaliar)* que contribui ou não para o meu bem-estar:
"*Quando eu (vejo, escuto...)*"

1. O que você observa *(vê, escuta, recorda, imagina, sem avaliar)* que contribui ou não para o seu bem-estar:
"*Quando eu (vejo, escuto...)*"
(às vezes em silêncio, ao oferecer empatia)

SENTIMENTOS

2. Como me sinto *(emoção ou sensação, não pensamento)* quanto ao que observo:
"*Eu sinto...*"

2. Como você se sente *(emoção ou sensação, não pensamento)* quanto ao que observa:
"*Você sente...*"

NECESSIDADES

3. O que eu necessito ou valorizo *(em vez de preferir ou agir)* que provoca meus sentimentos:
"*... porque eu necessito/valorizo...*"

3. O que você necessita ou valoriza *(em vez de preferir ou agir)* que provoca seus sentimentos:
"*... porque você necessita/ valoriza...*"

Pedindo com clareza o que enriqueceria **minha** vida, sem exigir	Recebendo com empatia o que enriqueceria **sua** vida, sem ouvir exigência

PEDIDOS

4. Ações concretas que eu gostaria de tomar:
"*Eu estaria disposto a...?*"

4. Ações concretas que você gostaria de tomar:
"*Você gostaria de...?*"
(às vezes em silêncio, ao oferecer empatia)

| MARSHALL B. ROSENBERG |

Alguns sentimentos básicos que todos temos

Como nos sentimos quando nossas necessidades *são* atendidas

- *agradecidos*
- *alegres*
- *alertas*
- *aliviados*
- *comovidos*
- *confiantes*

- *contentes*
- *esperançosos*
- *estimulados*
- *extasiados*
- *fascinados*
- *inspirados*

- *orgulhosos*
- *otimistas*
- *realizados*
- *revigorados*
- *surpresos*
- *tranquilos*

Como nos sentimos quando nossas necessidades *não são* atendidas

- *chateados*
- *confusos*
- *constrangidos*
- *desamparados*
- *desapontados*
- *desencorajados*
- *desesperançados*

- *desorientados*
- *frustrados*
- *impacientes*
- *incomodados*
- *intrigados*
- *irados*
- *irritados*

- *nervosos*
- *perturbados*
- *preocupados*
- *relutantes*
- *saturados*
- *solitários*
- *tristes*

Algumas necessidades básicas que todos temos

Autonomia
- Escolher sonhos/metas/valores
- Elaborar planos para realizar sonhos, metas e valores.

Celebração
- Celebrar a criação da vida e os sonhos realizados.
- Elaborar as perdas: entes queridos, sonhos etc. (luto).

Integridade
- amor-próprio • autenticidade
- criatividade • significação

Interdependência
- aceitação • amor • apoio
- compreensão • comunhão
- confiança • consideração
- contribuição para o enriquecimento da vida

Diversão
- alegria • riso

Necessidades
- abrigo • água • alimento
- ar • carinho • descanso • expressão sexual • movimento, exercício
- proteção contra formas de vida ameaçadoras: vírus, bactérias, insetos, predadores

Comunhão espiritual
- beleza • harmonia
- inspiração • ordem • paz

- elogio • empatia
- encorajamento • proximidade
- respeito • segurança emocional
- sinceridade (que faz aprender com as limitações)

Sobre a comunicação não violenta

A comunicação não violenta floresceu por mais de quatro décadas em 60 países. E vendeu além de um milhão de livros em mais de 30 idiomas por um simples motivo: funciona.

Do quarto de dormir à sala de reuniões, da sala de visitas à zona de guerra, a comunicação não violenta (CNV) muda vidas todos os dias. Ela proporciona um método eficaz e de fácil compreensão para chegar pacificamente à raiz da violência e do sofrimento. Ao examinar as necessidades não atendidas por trás do que fazemos e dizemos, a CNV ajuda a reduzir a hostilidade, curar a mágoa e fortalecer relacionamentos profissionais e pessoais.

A CNV tem sido ensinada em empresas, salas de aula, prisões e locais de mediação em todo o mundo. E vem promovendo mudanças culturais, na medida em que instituições, empresas e governos passam a contar com a consciência da CNV em sua estrutura e filosofia de liderança.

Muitos de nós ansiamos por habilidades que melhorem a qualidade dos relacionamentos, aprofundem nosso senso de autoridade pessoal ou simplesmente nos ajudem a ter uma comunicação mais eficiente. Infelizmente, muitos fomos educados desde que nascemos a competir, julgar, exigir e avaliar, a pensar e se comunicar conforme o que é "certo" e "errado" nas pessoas.

As maneiras habituais de pensar e se comunicar, na melhor das hipóteses, refreiam a comunicação e criam mal-entendidos ou frustrações. Pior ainda, podem provocar raiva e ressentimento e levar à violência. Sem querer, mesmo as pessoas com as melhores das intenções geram conflitos desnecessários.

A CNV ajuda-nos a ir abaixo da superfície para descobrir o que está vivo e é vital dentro de nós e perceber que todos os nossos atos baseiam-se nas necessidades humanas a que procuramos atender. Aprendemos a aprimorar um vocabulário de sentimentos e necessidades que nos auxilia a expressar com mais propriedade o que acontece em nós a qualquer momento. Quando entendemos e reconhecemos nossas necessidades, desenvolvemos um alicerce compartilhado para termos relacionamentos muito mais prazerosos.

Junte-se aos milhares de pessoas em todo o mundo que melhoraram sua vida e seus relacionamentos com este processo simples mas revolucionário.

O Centro de Comunicação Não Violenta

O Centro de Comunicação Não Violenta (CNVC, na sigla em inglês) é uma organização internacional promotora da paz, sem fins lucrativos, cuja visão é um mundo em que as necessidades de todos sejam satisfeitas pacificamente. O Centro de Comunicação Não Violenta dedica-se à disseminação da comunicação não violenta por todo o planeta.

Fundado em 1984 pelo dr. Marshall B. Rosenberg, o CNVC tem contribuído para uma vasta transformação social de pensamento, discurso e ação, mostrando às pessoas como conectar-se de modo que inspire resultados solidários. Hoje, ensina-se a CNV mundo afora em comunidades, escolas, presídios, locais de mediação, igrejas, empresas, congressos profissionais, entre outros lugares. Centenas de instrutores certificados e milhares de assistentes ensinam a CNV a dezenas de milhares de pessoas todos os anos, em mais de 60 países.

O CNVC acredita que o treinamento em CNV é um passo crucial para continuar a construir uma sociedade pacífica e solidária. Por meio de doações, o CNVC continua a propiciar treinamento em alguns dos lugares mais pobres do mundo. O Centro também dá apoio ao desenvolvimento e à continuidade de projetos organizados que almejam levar o treinamento em CNV a regiões e populações bastante carentes.

Center for Nonviolent Communication (CNVC)
9301 Indian School Rd., NE, Suite 204
Albuquerque — New Mexico (NM) — 87112-2861 — EUA
Fone: 1-505-244-4041 — Fax: 1-505-247-0414
• e-mail: cnvc@CNVC.org • site: www.CNVC.org

O *autor*

O professor-doutor Marshall B. Rosenberg (1934-2015) fundou o Centro de Comunicação Não Violenta e foi por muitos anos o diretor educacional dessa organização internacional de manutenção da paz.

Escreveu 15 livros, entre eles este *Comunicação não violenta: técnicas para aprimorar relacionamentos pessoais e profissionais*, *best-seller* que vendeu mais de um milhão de exemplares em mais de 30 idiomas, com outras traduções em andamento.

Rosenberg recebeu vários prêmios por seu trabalho com a comunicação não violenta, como:

- 2014 — Prêmio Defensor do Perdão, da Aliança Mundial do Perdão.
- 2006 — Prêmio de Não Violência Ponte da Paz, da Fundação Global Village.
- 2005 — Prêmio Luz de Deus Expressa na Sociedade, da Associação das Igrejas da Unidade.
- 2004 — Prêmio Internacional de Obras Religiosas em Ciências Religiosas.
- 2004 — Prêmio Homem da Paz do Dia Internacional da Healthy, Happy Holy Organization (3HO).
- 2002 — Prêmio de Reconhecimento da Princesa Anne da Inglaterra e de Restabelecimento da Justiça do Chefe de Polícia.
- 2000 — Prêmio Ouvinte do Ano da International Listening Association.

Rosenberg usou o processo da CNV pela primeira vez em projetos de integração de escolas financiados pelo governo dos Estados Unidos para capacitação em habilidades de mediação e comunicação durante os anos 1960. O Centro e Comunicação Não Violenta, fundado por ele em 1984, agora conta com centenas de instrutores e assistentes certificados que ensinam a CNV em mais de 60 países.

Palestrante muito requisitado, pacificador e líder visionário, Rosenberg ministrou oficinas de CNV e treinamentos intensivos internacionais para dezenas de milhares de pessoas em dezenas de países ao redor do mundo, além de ter dado treinamento e instituído programas de paz em muitas regiões em conflito, como Nigéria, Serra Leoa e Oriente Médio. Trabalhou incansavelmente com educadores, gerentes, assistentes sociais, advogados, militares, prisioneiros, policiais, agentes penitenciários, funcionários públicos e famílias. Com extrema disposição e energia espiritual, Marshall B. Rosenberg nos mostrou como criar um mundo mais pacífico e agradável.

Acesse o QR Code abaixo e conheça também
o livro *Exercícios de comunicação não violenta –
Um guia prático para estudo individual,
em grupo ou em sala de aula*